日本語版によせて

　放射能が降ってきたときに飯舘村に住んでいた家族は、10年近くもの間、福島第一原発事故の影響を受けながら生きてきました。いまや事故前の元の生活に戻ることは誰の力でもできません。しかし、たとえ小さなことであっても一人ひとりの力で状況を変えることができます。飯舘村の試みはその実例です。この本の出版しかり、飯舘地域の活性化に向けたさまざまな実践的な取り組みこそ、次代の飯舘村を創造し再生すると確信します。そしてその先にまったく新しい「メイドンふくしま」があると信じます。再生に向けて果敢に努力をつづけている人々の努力によって、美しい飯舘村に平穏な生活が戻り、平和が訪れる日が来ることを願っています。

アメリカ・ワシントン州プルマンにて

2020年8月14日

コリン・キャンベル
（企画責任者、
メータグループ・環境副社長、
アメリカ）

JN118149

日本語版読者の皆様へ

　私たちは村民と溝口勝教授の取り組みについてドキュメントし、一冊の本にすることにしました。制作チームの全員が信じられないような経験をする旅となりました。この本では、地域・災害・除染・農民たちの物語が語られています。読者が読者本位に独自の見方ができるように、さまざまな情報源を並べてみました。この本はデータを理解に変え、それを紙に表現したものです。「メイドインふくしま」は自分たちで除染した田んぼで育ったコメを手にしながら福島復興のチャレンジを理解してもらうための本なのです。

ドイツ・ミュンヘンにて

2020 年 8 月 14 日

クリスチャン・ヘルテル
（本の製作担当者、
メータグループ・マーケティング担当
副社長）

この本は

福島の

除染された田んぼで育った酒米の
稲わらで作られている。(*1)

(*1) オリジナルの英語本は稲わらから作られた紙に印刷
され、写真の裏側が袋とじになっていますが、この本は半
分の大きさの普通紙に印刷され、袋とじになっていません。

メイドインふくしま

溝口勝博士と飯館の農家に捧ぐ

「米の安全性は数字が証明している。
しかし、誰もが科学的データを
読めるわけではありません。
何か違う方法、
独自の方法で理解して
もらう必要があります。」

溝口勝
（東京大学農学生命科学研究科教授）

目次

00　はじめに

コリン・キャンベル博士
メータグループ環境副社長

[1]

[1] 飯舘村のキャンベル博士と溝口博士

それは 7 年前のことだ、私は親友の東京大学農学生命科学研究科教授の溝口勝博士（愛称：ミゾ）と一緒にある丘の上に登った。丘の上は雑草で覆われていた。その生い茂る草むらの中から「飯館村」と書かれた看板を見つけ、私たちは溜息まじりに見詰め合った。その 1 年前、地震による津波がここから約 40$_{キロメートル}$離れた福島第一発電所を襲い、原子炉のメルトダウンと空前の生態系災害をもたらした。

　それから村の郊外を歩いてみた。あたりはシーンと静まり返り、ポツンと新しい校舎が建っていた。その脇を通り過ぎると曲がりくねった道がつづいていた。そこには走る車はなく、肥沃な農地を耕すトラクターも、日向ぼっこをする牛の姿もない。私たちはあらためてコミュニティが失われてしまったことを認識させられ、茫然とした。

　地域は放射能で汚染され、震災直後、世界中から集まった何千人ものボランティアが家屋や庭を除染していた。しかし、それ以外のすべてのものは、政府の判断を待って止まったままだった。その頃、飯館村の農

0.0007

mSv
この本を読んでいる間の
バックグラウンド放射線被ばく量

0.0646

mSv
シアトルから東京へのフライト中に
受ける宇宙放射線被ばく量

400

mSv
2011年3月14日に
福島第一原子力発電所で観測された
1時間あたりの最大放射線被ばく量

家である大久保金一さん宅の炬たつを囲んでミゾや東大、明治大の科学者たちが集まり、汚染された農地をどうするか、これからのふるさとの生活をどうやって建て直すかについて話し合っていた(*1)。

　得た結論はまず、何よりもかつての「恵みの農地」にしようということに。その解決策とヒントは土壌物理学にあった。それは「セシウムが土壌中の粘土粒子に固定される」「粘土粒子は水に浮かぶとなかなか沈まない」という驚くほど単純なものだった。これらの性質を利用すると、水を張った水田で表土をかき混ぜるだけで、粘土粒子に固定されたセシウムを水田の側に掘った穴に流し出すことができる。そうすれば、農地はふたたび使えるようになる。が、日本政府は表土をはぎ取り、砕いた花崗岩に置き換える(*2) 除染工事を

(*1) 正確には大久保さんではなく、震災直後からボランティアグループを受け入れ、一緒に活動していた菅野宗夫さんである。

(*2) 飯舘村内の山の汚染されていない山砂に置換された。飯舘村は阿武隈山系にあり、花崗岩の産地としても知られる。この地域の土壌は風化した花崗岩に由来する。表土を別の場所の土と置き換えることを「客土」という。

(*3) 実際には、客土後に化学肥料を添加して農地として使えるような対策がとられた。しかし、堆肥の原料になる稲わらや落ち葉に含まれる放射性セシウムが心配なため、以前から飯舘村で行われていた堆肥を入れた土づくりはできていない。

実施していた。この方法は迅速ではあったが、作物を栽培するのに必要な有機物を多く含む表土を削り取るため農業ができなくなってしまうのだ(*3)。その削り取られた放射性廃棄物の多くは黒いフレコンバックに詰められ、福島県のあちこちに山積みにされていた。メータ社も大気や土壌の状況を監視する機器を福島の農家に提供していた(*4)。しかし、それでは不十分、「わが社が貢献できる」ことは何かあるはずと発奮し、私は新たな勇気と希望を持った。

　そしてその日は暮れた。集まった者たちの手作りの田舎料理が大久保さん宅の前のシートに並べられ皆で食べ談笑した。やがて夜が更けると、大久保さんの90歳の父親(*5)が歌う、再生と春を告げる古い村の唄に耳を傾けた。

(*4) 2011年6月にコリンが来日した際に、「ミゾ、日本のために手伝えることはないか?」という問いかけに対して、「コリンの会社の土壌センサを提供してもらえると、津波を被ってしまった農地やセシウム汚染された農地のモニタリングに役立つと思う。」と溝口が答えたことでメータ社が農業農村工学会に機器を提供してくれた。

(*5) 2011年6月からボランティア団体(認定NPO法人ふくしま再生の会)を受け入れてくれていた菅野宗夫さんのお父さんの次男(つぎお)さんのこと。

01 永遠の緑の州「ワシントン」

アメリカ合衆国、ワシントン州

[1]

[1] パルース地方の丘陵地帯はワシントン南東部の特徴的な地形である。

[2]

[2] 丘陵は肥沃な黄土質の土壌で
できていて、農業に最適である

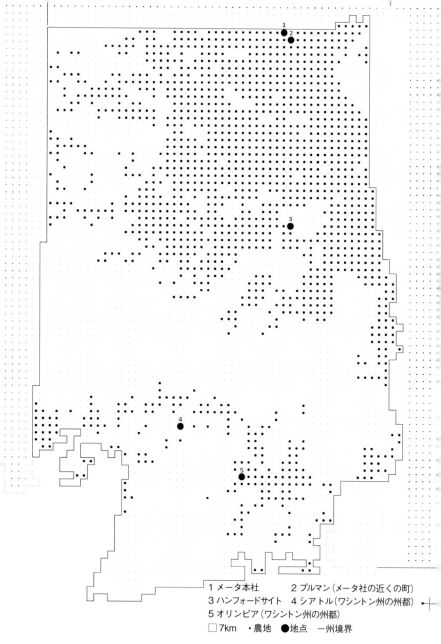

1 メータ本社　　　2 プルマン（メータ社の近くの町）
3 ハンフォードサイト　4 シアトル（ワシントン州の州都）
5 オリンピア（ワシントン州の州都）
□7km　・農地　●地点　―州境界

10 分の 1

人
STEM（科学・技術・工学・数学）で働く居住者

3 分の 1

km²
農地の陸地

オリンピア

首都

シアトル

最大の都市

172,120

km²
全土地面積

59,683

km²
農地

7,535,591

人口

44

km² 当たりの人口（人口密度）

02 緑豊かなメータ社の故郷「プルマン」

プルマン、ワシントン州

米国ワシントン州の南東部に豊かなローム土の丘に囲まれたプルマンの町がある。この土壌で栽培される小麦は、1ヘクタール当たり100ブッシェル (*1)（全国平均の2倍）もの収穫量を誇り、雨が豊富なので灌漑の必要がない。実際、アメリカのレンズ豆の90パーセントがこの地域で栽培されている。

　このプルマンの中心には、1892年に設立されたランドグラント大学 (*2) のワシントン州立大学（WSU）があり、農業とSTEM（科学、技術、工学、数学）の融合に力を入れている。

　物理学者のゲイロン・キャンベル教授は、1960年代初めから農業と環境の研究に携わってきた。しかし、当時はその研究に必要な測定装置がなかった。そこで、教授は必要な測定装置を自分で発明した。そのひとつが熱電対サイクロメータ (*3) だ。この測定装置を使って、パルース (*4) の肥沃な土壌の水分特性 (*5) を明らかにした。しばらくして、キャンベル博士の発明は科学者の間で注目されるようになった。そして、しばしば同僚の科学者たちから「自分用に熱電対サイクロメータを作ってくれ」と頼まれた。こうした要望が増えてきたので、1980年代初頭にキャンベル社 (*6) の地下室を借りてデカゴンデバイス社を創立した。

(*1) 1ブッシェルは約2.7トン

(*2) アメリカで公有地を付与されて設立された大学の総称。おもに農業および機械技術に関する学科を教授内容とする大学が多い。1850年代に、ミシガン、ペンシルバニア、イリノイ諸州の有志が、農科大学設立のために公有地の付与を連邦政府に求めたのが起源とされる。(https://kotobank.jp/)

(*3) 高精度な湿度計。比較的乾燥した土の水分状態を正確に決定できる。もともと土壌用に開発されたが、保存状態を管理するために小麦粉などの食品にも使われている。

(*4) アメリカ合衆国北西部のワシントン州南東部、アイダホ州北中部、および定義によってはオレゴン州の北東部にまで拡がる地形の名称である。

(*5) 土の湿り具合と作物根の水の利用のしやすさの関係。

　さらに1985年、このデカゴンデバイス社のさらなる発展を願い自社ビルに移転し、最初の従業員を雇用した。事業も順調に成長し、より科学的な知見も積み重ねることができた。そしてその間に、何人もの環境科学者を育み、農業産業や食品生産のための新しい機器開発ができるようになった。こうした企業努力によって、2000年までにデカゴン社は100人を雇用するまでになった。

　2016年、デカゴン社はミュンヘンに拠点がある科学センサ会社UMSと提携し、メータグループを設立した。中核会社であるプルマン本社からは、ゲイロン・キャンベルの息子のスコットとコリンがCEOと環境担当副社長として就任し、その後現在に至るまで、同族経営がつづいている。この結束の強さが数々の新製品や新システムの開発につながっている。事実、現在、メータ製品は世界中の大学や研究所、農家や食品メーカーで使用され、初のアフリカ横断気象ステーションネットワークTAHMO(*7)を通じてアフリカ全土で、フェニックスの着陸船の一部(*8)として火星で、そして福島県の農業復興現場で活躍している。

(*6) 1974年にユタ州で創業したキャンベル・サイエンティフィック社。気象観測などフィールドのデータ収集と制御のための丈夫で低消費電力の機器を世界で初めて開発した。当社の創業者はゲイロン・キャンベル教授の兄弟である。

(*7) Trans-African Hydro Meteorological Observatory（TAHMO）は、サブサハラアフリカに2万個の安価な気象ステーションのネットワークを展開することを目的としたイニシアチブ。この監視ネットワークは急速に劣化する旧システムに取って代わるもので、大陸の気候変動を追跡するための重要なツールになると期待されている。(https://tahmo.org/)
メータ社はここに一体型の気象計ATMOS-41を提供している。

(*8) フェニックス（Phoenix）は、アメリカ航空宇宙局(NASA)の管理下で、アリゾナ大学の月惑星研究所(Lunar and Planetary Laboratory, LPL)を中心にカナダ宇宙庁と航空宇宙業界も加わって共同開発された火星探査機。2007年8月4日に打ち上げられ、2008年5月25日に火星の北極の、氷の豊富な地域に着陸。着陸後はロボット・アームで北極域の地表を掘り上げて過去の水に関する情報を探し、火星が微生物にとって適切な環境であるかどうかを調べた。(https://ja.wikipedia.org/) 土壌水分・温度・電気伝導度を検知するためにロボット・アームの指先にメータ社が開発したセンサが使われた。

1983

メータ社の創立年

1996

福島県にメータ社のセンサが
初めて設置された年 (*9)

(*9) 正しくは、溝口が初めてメータ
(デカゴン) 製品を日本に導入した年。
1996 年にカリフォルニア州で開催さ
れたアメリカ農学・作物・土壌学会の会
場でメータ社の前身のデカゴン社が展
示していた土壌水分センサを日本に持
ち込んで初めて使った。溝口とメータ
社の付き合いが始まった年ともいえる。

2008

メータ社のセンサが火星で初めて使用
された年。

[1]

[1] メータの社員が顧客を訪
問して作物の様子を見る

[2] メータの科学者がブラジ
ルで土壌実験を行う

[3] プルマンにキャンベル家
が鍬を入れる

[4] プルマンにあった最初の
メータ個人企業本社

[5] メータ社の創設者ゲイロ
ン・キャンベル博士

[2]

[3]

[4]

02 緑豊かなメータ社の故郷「プルマン」

[5]

800,000

1983 年以降に製造された
メータ環境センサの数

236

福島県に現在設置されている
メータ環境センサの数

35

メータセンサが測定できる環境要因の数

[6]

[7]

[6] メータ社の ATMOS 41気象計は12の環境パラメータを測定できる

[7] PHYTOS 31 は病気を防ぐために葉のぬれ具合を測定する

[8] 実験室内で土壌試料を持つメータ社の科学者

[9] KSAT は、土壌中の水の流れを測定する装置

[8]

[9]

03 最も有害な「ハンフォードサイト」(米)

ハンフォードサイト、ワシントン州

第二次世界大戦中の 1943 年、米国政府はワシントン州コロンビア川流域の人里離れた地域を核燃料の巨大製造施設に改造した。この施設は、最終的には西半球で最も汚染された場所となった。米国政府は２０万ヘクタール以上の土地を没収し、ハンフォードサイトとした。プルトニウムを抽出するための巨大な処理プラントが建設され、それが 1945 年に日本の長崎市上空で爆発した原子爆弾「ファットマン」として使用された。

　これらの作業で出た核廃棄物は、池で処理され、地下貯蔵タンクに埋められた。が、環境への影響が発覚し、土壌科学者がこの問題を解決するために数十年を要した。1980 年代半ばになって、米国政府はついにハンフォードサイトの除染と核廃棄物の長期保管計画に乗り出した。ゲイロン・キャンベル博士は、このプロジェクトのコンサルタントを依頼された土壌科学者のひとりだった。彼は自分の土壌中の水の動きに関する専門知識を生かして核に汚染されたコロンビア川流域を守るという国策任務についた。

390

百万米ドル（約億円）
ハンフォードサイトの建設予算

323

十億米ドル（約千億円）
ハンフォードサイトの浄化予算

9

ハンフォードサイトの原子炉数

25.1

GW（ギガワット）
ハンフォードサイトの全原子炉の可能電力量

35

km
プルマンからハンフォードサイトまでの距離

[1]

[2]

[1] 1945 年のハンフォードエンジニアリング工場 （現ハンフォードサイト）

[2] 廃棄物処理場の放射線量を測定する作業員（1988 年）

[3] 1945 年に、長崎に投下される前のファットマン原爆

[4] ハンフォードサイトの高速磁束試験施設の技術者（1971 年）

[3]

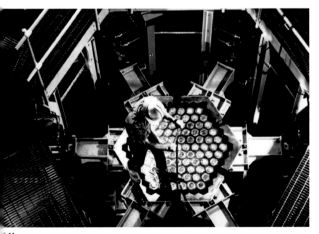

[4]

04 知っておきたい放射能の基礎知識

基礎、物理、効果

定義

放射能は、電磁波や移動する素粒子のように自発的にエネルギーを放出する能力である。放射能は、原子核がエネルギー的に不安定で、そのエネルギーの一部を放出してバランスを保つ際に発現する。放射能は一部の元素では自然に発現するが、安定した原子にエネルギーを加えて人工的に発現させることもできる。

応用

医学
・CT / PET / X 線 スキャン
・ガン治療
・診断

科学
・生物学的研究
・環境研究
・地質調査

産業
・発電
・材料の厚さの検出
・食品処理

調査
・金属探知機
・身体検査
・手荷物審査

周期表の放射性元素
ランタノイド系　アクチノイド系

1								
3	4							
11	12							
19	20	21	22	23	24	25	26	27
37	38	39	40	41	42	43 **Tc**	44	45
55	56	57 /71	72	73	74	75	76	77
87 **Fr**	88 **Ra**	89 /103	104 **Rf**	105 **Db**	106 **Sg**	107 **Bh**	108 **Hs**	109 **Mt**

ランタノイド系	57	58	59	60	61 **Pm**	62	63

アクチノイド系	89 **Ac**	90 **Th**	91 **Pa**	92 **U**	93 **Np**	94 **Pu**	95 **Am**

2

5 6 7 8 9 10

13 14 15 16 17 18

28 29 30 31 32 33 34 35 36

46 47 48 49 50 51 52 53 54

78 79 80 81 82 83 84 85 86
Po At Rn

110 111 112 113 114 115 116 117 118
Ds Rg Cn Nh Fl Mc Lv Ts Og

64 65 66 67 68 69 70 71

96 97 98 99 100 101 102 103
Cm Bk Cf Es Fm Md No Lr

放射性元素と原子量

[43] テクネチウム 98

[61] プロメチウム 145

[84] ポロニウム 209

[85] アスタチン 210

[86] ラドン 222

[87] フランシウム 223

[88] ラジウム 226

[89] アクチニウム 227

[90] トリウム 232.038

放射性同位体と半減期

ヨクト（× 10^{-24}）秒

水素 -7	23
水素 -5	80
水素 -4	139
窒素 -10	200
水素 -6	290
リチウム -5	304
ホウ素 -7	350
酸素 -12	580
窒素 -11	590
窒素 -11m	690
リチウム -4	75.6
ヘリウム -5	760

ゼプト（× 10^{-21}）秒

ナトリウム -18	1.34
ヘリウム -10	1.52
リチウム -10	2
炭素 -8	2
ヘリウム -7	3.04
ベリリウム -6	5
ヘリウム -9	7
ホウ素 -9	800

アト（× 10^{-18}）秒

ベリリウム -8	81.9

ピコ（× 10^{-12}）秒

ホウ素 -16	190
ベリリウム -13	500

ナノ（× 10^{-9}）秒

リチウム -12	10
ホウ素 -18	26
炭素 -21	30
ベリリウム -15	200
ベリリウム -16	200
ポロニウム -212	299

マイクロ（× 10^{-6}）秒

ダームスタチウム -267	3
ノーベリウム -250	5.7
ラザホージウム -254	23
ダームスタチウム -270	160
ポロニウム -214	164
ダームスタチウム -273	170
ダームスタチウム -269	230

コペルニシウム -277	240
ニホニウム -278	340
フェルミウム 258	370
ハッシウム 264	540
フェルミウム -241	730
ハッシウム -263	760
フェルミウム -242	800
オガネソン -294	890

ミリ（× 10^{-3}）秒

ハッシウム -265	2
ホウ素 -19	2.92
マイトネリウム -266	3.4
ラドン -196	4.7
ホウ素 -17	5.08
炭素 -22	6.2
酸素 -13	8.58
リチウム -11	8.59
ホウ素 -15	9.87
窒素 -12	11
ホウ素 -14	12.5
窒素 -22	13.9
窒素 -23	14.5
炭素 -20	16
ホウ素 -13	17.33
ホウ素 -12	20.2
ベリリウム -12	21.49
炭素 -19	46.2
酸素 -24	65
酸素 -23	82
窒素 -21	87
炭素 -18	92
ボーリウム -262	102
ヘリウム -8	119
炭素 -9	126.5
窒素 -20	130
リチウム -9	178.3
窒素 -19	271
炭素 -17	193
窒素 -18	622
炭素 -16	747
ホウ素 -8	770
ヘリウム -6	806.7
リチウム -8	839.9
ルテチウム -153	900

秒

酸素 -22	2.25
炭素 -15	2.449
フレロビウム -289	2.6
酸素 -21	3.42
窒素 -17	4.173
ベリリウム -14	4.84
窒素 -16	7.13
酸素 -20	13.51
ベリリウム -11	13.81
炭素 -10	19.29
酸素 -19	26.464
ドブニウム -261	27
シーボーギウム -266	30
ドブニウム -262	34
酸素 -14	70.598
ラザホージウム -261m	81
ノーベリウム -253	97
酸素 -15	122.24
銅 -62	580.4
窒素 -13	597.9
水銀 -210	600

キロ（× 10^{3}）秒

炭素 -11	1.22
ノーベリウム -259	3.5
フッ素 -18	6.586
メンデレビウム -257	19.9
エルビウム -165	37.3
ナトリウム -24	53.9
フェルミウム -252	91.4
エルビウム -160	102.9
金 -198	232.8
ネプツニウム -239	203.6
フェルミウム -253	260
金 -199	273.8
ラドン -222	330.35
カルシウム -47	391.9
マンガン -52	483.1
金 -196	534.2
ヨウ素 -131	693
ツリウム -167	799

メガ（× 10^{6}）秒

リン -32	1.235
バナジウム -48	1.38011
カリホルニウム -253	1.539

核種	値
クロム-51	2.3935
メンデレビウム-258	4.45
ベリリウム-7	4.59
カリホルニウム-254	5.23
コバルト-56	6.676
スカンジウム-46	7.239
硫黄-35	7.544
ツリウム-168	8.04
フェルミウム-257	8.68
ツリウム-170	11.11
ポロニウム-210	11.9
カルシウム-45	14.06
金-195	16.08
亜鉛-65	21.06
コバルト-57	23.483
バナジウム-49	29
カリホルニウム-248	28.81
ルテニウム-106	32.3
ネプツニウム-235	34.2
カドミウム-109	40
ツリウム-171	61
セシウム-134	65.17
ナトリウム-22	82.1
鉄-55	86.4
ロジウム-101	100
コバルト-60	166.35
クリプトン-85	339.4
水素-3	389
カリホルニウム-250	413
ニオブ-93m	509
ストロンチウム-90	909
キュリウム-243	920
セシウム-137	952

ギガ（× 10^9）秒

核種	値
チタン-44	2
ウラン-232	2.17
プルトニウム-238	2.77
サマリウム-151	3.05
ニッケル-63	3.16
ケイ素-32	5.4
アルゴン-39	8.5
カリホルニウム-249	11.1
銀-108	13.2
アメリシウム-241	13.64
水銀-194	14.0
ニオブ-91	21
カリホルニウム-251	28.3
ホルミウム-166m1	38
バークリウム-247	44

核種	値
ラジウム-226	50
モリブデン-93	130
ホルミウム-153	144
キュリウム-246	149
炭素-14	181
プルトニウム-240	207.1
トリウム-229	232
アメリシウム-243	233
キュリウム-245	270
キュリウム-250	280
ニオブ-94	640
プルトニウム-239	761

テラ（× 10^12）秒

核種	値
プロトアクチニウム-231	1.034
鉛-202	1.66
ランタン-137	1.9
トリウム-230	2.379
ニッケル-59	2.4
カルシウム-41	3.3
ネプツニウム-236	4.9
ウラン-233	5.02
レニウム-186m	6.3
テクネチウム-99	6.66
クリプトン-81	7.2
スズ-126	7.3
ウラン-234	7.75
プルトニウム-242	8.59
塩素-36	9.5
キュリウム-248	11
ビスマス-208	11.6
アルミニウム-26	22.6
セレン-79	36
鉄-60	82
ベリリウム-10	43
ジルコニウム-93	48
ガドリニウム-150	56
ネプツニウム-237	67.7
セシウム-135	73
テクネチウム-97	82
ジスプロシウム-154	95
ビスマス-210m	96
マンガン-53	120
テクネチウム-98	130
パラジウム-107	210
ハフニウム-182	280
鉛-205	480
キュリウム-247	490
ヨウ素-129	500
ウラン-236	739

ペタ（× 10^15）秒

核種	値
ニオブ-92	1.1
サマリウム-146	2.1
プルトニウム-244	2.5
ウラン-235	22.21
カリウム-40	40.3
ウラン-238	141
トリウム-232	443.6

エクサ（× 10^18）秒

核種	値
ルテチウム-176	1.21
レニウム-187	1.3002 ± 0.0063
ルビジウム-87	1.554
ランタン-138	3.2
サマリウム-147	3.3
白金-190	20.51 ± 0.95

ゼタ（× 10^21）秒

核種	値
ガドリニウム-152	3.4
インジウム-115	13.9
ハフニウム-174	63
オスミウム-186	63
ネオジム-144	72
サマリウム-148	220
カドミウム-113	240

ヨタ（× 10^24）秒

核種	値
バナジウム-50	4.4 ± 1.3
鉛-204	4.4
タングステン-180	56.8 ± 6.3
ユウロピウム-151	160
ネオジム-150	210
モリブデン-100	270
ビスマス-209	600 ± 63
ジルコニウム-96	630
カドミウム-116	980 ± 130

× 10^27 秒

核種	値
カルシウム-48	1.4
セレン-82	3.1
テルル-130	25
バリウム-130	50
ゲルマニウム-76	57
キセノン-136	75
クリプトン-78	290

× 10^30 秒

核種	値
テルル-128	69.4 ± 9.5

初期の歴史

1895 ヴィルヘルム・レント
ゲンがX線を発見する。

ドイツの物理学者ヴィルヘルム・レントゲンが、
電流の経路を探しているうちに、電磁波を使っ
て妻の手の骨の画像ができることに気づく。

1898 マリーとピエールの
キュリー夫妻がラジウ
ムとポロニウムを発見
する。

マリー・キュリーは、ウランとその経時変化を
研究した後、この現象を「放射能」と命名した。
さらに研究を進め、彼女と夫のピエールは、ラ
ジウムとポロニウムという2つの新しい元素を
発見した。

1933 アイリーンとフレデ
リック・ジョリオ＝キュ
リーが人工放射能を発
見する。

アイリーンとフレデリックジョリオキュリー
が、ホウ素、アルミニウム、マグネシウムにア
ルファ粒子を衝突させることにより、最初の人
工同位体を作り出した。

1945 米国が初の原子爆弾を
開発。

米国が、巨大なエネルギーを生み出す新たに
発見された核分裂を使用して最初の原子爆弾
を製造する。広島と長崎の都市にこれらの爆
弾を投下し、第二次世界大戦を終結させた。

1954 初の原子力発電所が商
業用電力を発生させる。

オブニンスクで、ソビエトが原子力発電所
APS-1を送電網に接続する。5MWの電気出力で、
発電する最初の商業原子力発電所となる。

核分裂

核分裂は、原子核が自然崩壊または実験室内で崩壊が誘発されたときに、2つの小さな核に分割され、大量のエネルギーを放出するプロセスである。

[1] 1つの粒子が核に衝突し、吸収される。

[2] 吸収された粒子は核の変形を引き起こす。約 10^{-14} 秒で、変形の1つが非常に劇的で核は回復できない。

[3] 核が分裂し、平均2〜3個の中性子を放出する。

[4] 約 10^{-12} 秒で、核分裂片は運動エネルギーを失い、静止し、ガンマ線を放出する。 この段階になると、その断片は核分裂生成物と呼ばれる。

[5] 核分裂生成物は、放射性崩壊によって余分なエネルギーを失い、様々な期間（数秒から数年）にわたって粒子を放出する。

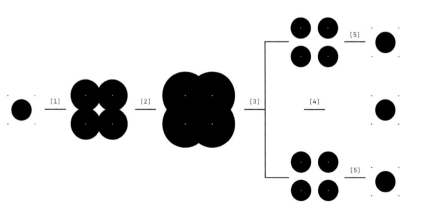

崩壊と半減期

放射性元素が別の元素または同位体に変化する自然の過程は崩壊と呼ばれ、半減期という単位で測定される。半減期は、ある同位体の指定された量の半分が崩壊するまでの時間である。同位体の寿命はランダムであり、計り知れず、本質的には無限大であるため、「全寿命」にわたって半減期が使われる。 この図は、安定に向かうウラン238の自然減衰を示す。

ウラン -238
(45 億年
 1.419×10^{17} 秒)

トリウム -234
(2.082×10^6 秒)

プロトアクチニウム -234
(7.020×10^1 秒)

ウラン -234
(245000 年
 7.726×10^{12} 秒)

トリウム -230
(75400 年
 2.378×10^{12} 秒)

ラジウム -226
(1600 年
 5.046×10^{10} 秒)

ラドン -222
(3.82 日
 3.30×10^5 秒)

ポロニウム -218
(3.11 分
 1.866×10^2 秒)

鉛 -214
(26.8 分
 1.608×10^3 秒)

ビスマス -214
(19.9 分
 1.194×10^3 秒)

ポロニウム -214
(0.00016 秒
 1.630×10^{-4} 秒)

鉛 -210
(22.3 年
 7.033×10^8 秒)

ビスマス -210
(5.1 日
 3.084×10^6 秒)

ポロニウム -210
(138 日
 1.192×10^7 秒)

鉛 -206
(安定)

電離放射線

放射性物質が崩壊すると、アルファ粒子、ベータ粒子、ガンマ線、Ｘ線、中性子が放出される。すべての放出は、最初の放射性物質から遠ざかるにつれて強度が低下し、その過程で物質に吸収され、物質を透過する方法も異なる。

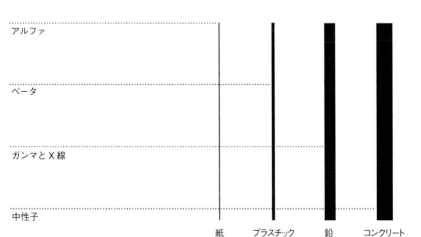

アルファ

ベータ

ガンマとＸ線

中性子

紙　　プラスチック　　鉛　　コンクリート

DNA への影響

鉱物や原爆、原子炉が放出する種類の電離放射線は、人体に大きな影響を与える。DNA を弱めたり分解したりすることで、細胞を死滅させるほどのダメージを与えたり、最終的には癌につながるような突然変異を引き起こしたりする。

[1] 電離放射線は、細胞内で電子を失った原子や分子にフリーラジカルを発生させる。

[2] フリーラジカルは他の結合から不足している電子を奪おうとし、フリーラジカル形成の連鎖反応を引き起こす。

[3] 細胞と DNA 分子の完全性が損なわれる。

[1]

[2]

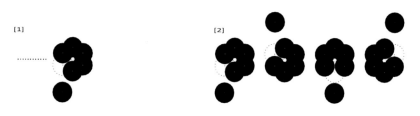

[3]

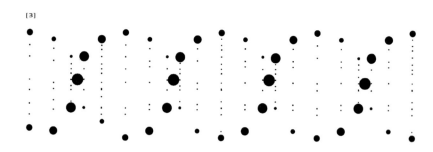

単位

放射能は、シーベルト (Sv) またはベクレル (Bq) で測定されることが多い。シーベルトは電離放射線量を測定する単位で、危険の可能性を伝えるために使われる。ベクレルは、崩壊速度を測定する単位で、主に科学的な目的で使われる。

1,000,000,000,000 Bq =
1,000,000,000 kBq =
1,000,000 MBq =
1,000 GBq =
1 TBq

1 Sv =
1,000 mSv =
1,000,000 μ Sv =
1,000,000,000 nSv

放射線量

0.100 nSv	バナナを食べるとき
0.250 nSv	空港のセキュリティスキャンで許容される最大値
5.0 μSv	歯科用 X 線
7.5 μSv	東京の 1 日（2011 年 6 月 26 日）
10 μSv	平均的な日に平均的な人が受ける放射線量
40 μSv	ニューヨークからロサンゼルスまでのフライト

50 μ Sv	2010 年チェルノブイリでの 1時間	
70 μ Sv		石、ブロック、コンクリートの建物に一年間住むとき
100 μ Sv	胸部 X 線	
	福島第一原発付近での 1時間（2011年6月3日）	
250 μ Sv		原子力発電所の 1年間の放出限界
400 μ Sv		平均的な人の食物か らの9年間線量
1.5 mSv	福島第一原子力発電所での 1時間（2011年3月12日）	
被ばく	瞬間 時間 日	年

2.4 mSv	平均的な人が1年間に受けるバックグラウンド放射線量
10 mSv	平均的な CT スキャン
36 mSv	1年間1日1.5箱のタバコを吸うとき
100 mSv	癌の生涯リスクの増加が明らかな最低年間線量
400 mSv	福島第一原子力発電所の1時間あたりの最大放射線量（2011年3月14日）
1 Sv	致命的ではない一時的な放射線病

2 Sv 従来の放射線治療に用いられる高度標的的線量

100 μ Sv 福島第一原発付近での1時間 (2011年6月3日)

6 Sv 治療治療しなければ2～4週間以内に死亡

10 Sv 2週間以内に死亡

30 Sv 48時間以内に死亡

50 Sv メルトダウン直後のチェルノブイリ炉心横の10分間放射線量

被ばく　　瞬間　　時間　　日　　年

05 果物王国の福島県

日本の福島県

[1] 福島県は日本有数の農業県である。

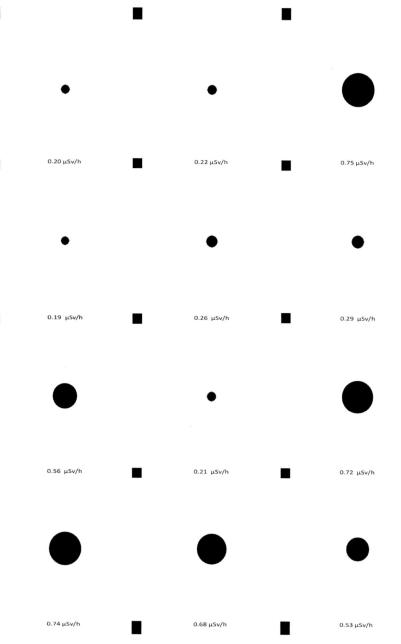

0.20 μSv/h

0.22 μSv/h

0.75 μSv/h

0.19 μSv/h

0.26 μSv/h

0.29 μSv/h

0.56 μSv/h

0.21 μSv/h

0.72 μSv/h

0.74 μSv/h

0.68 μSv/h

0.53 μSv/h

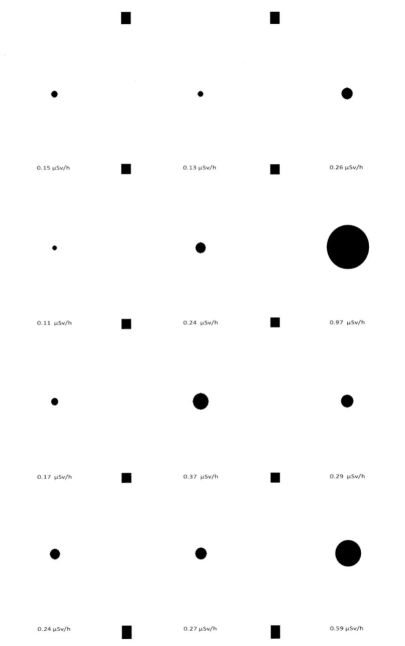

0.15 μSv/h   0.13 μSv/h   0.26 μSv/h

0.11 μSv/h   0.24 μSv/h   0.97 μSv/h

0.17 μSv/h   0.37 μSv/h   0.29 μSv/h

0.24 μSv/h   0.27 μSv/h   0.59 μSv/h

37.662500, 140.898472   0.26 μ Sv/h

[2]

37.914124, 140.593903   0.24 μSv/h

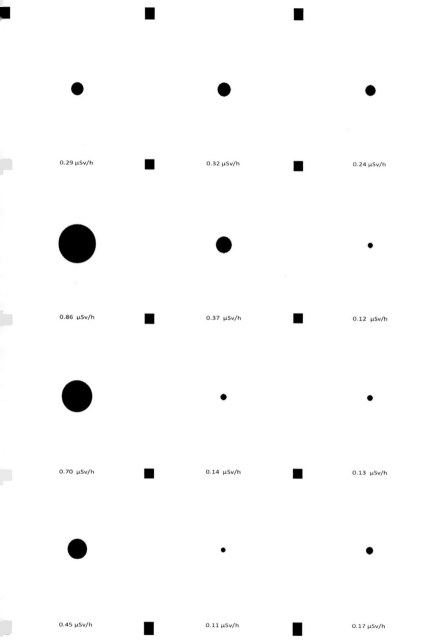

0.29 μSv/h

0.32 μSv/h

0.24 μSv/h

0.86 μSv/h

0.37 μSv/h

0.12 μSv/h

0.70 μSv/h

0.14 μSv/h

0.13 μSv/h

0.45 μSv/h

0.11 μSv/h

0.17 μSv/h

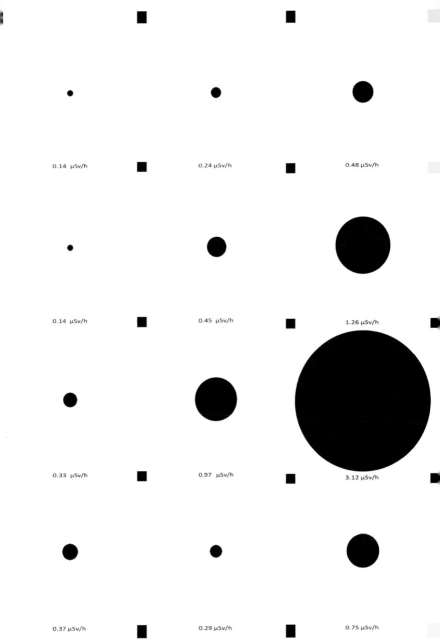

0.14 µSv/h

0.24 µSv/h

0.48 µSv/h

0.14 µSv/h

0.45 µSv/h

1.26 µSv/h

0.33 µSv/h

0.97 µSv/h

3.12 µSv/h

0.37 µSv/h

0.29 µSv/h

0.75 µSv/h

[3]

[2] 米は乾いた畑と水田の両方で栽培できる

[3] 地域の大部分は山や森で占められる

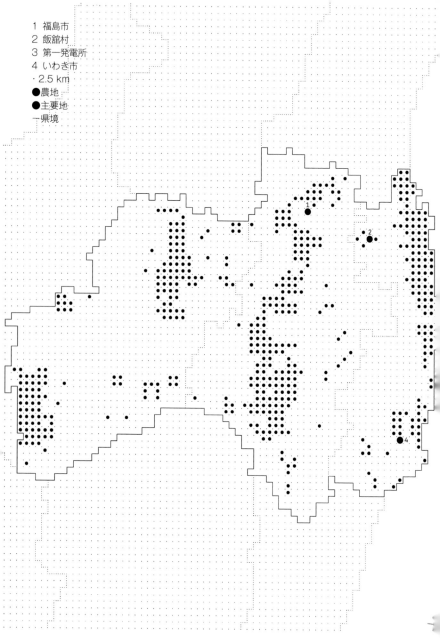

1 福島市
2 飯舘村
3 第一発電所
4 いわき市
・2.5 km
●農地
●主要地
ー県境

8分の1

人
製造業で働く居住者

11分の1

㎢
農地の土地面積

福島市

県庁所在地

いわき市

一番大きい市

13,784

㎢
総土地面積

1,215

㎢
田畑の面積

1,862,705

人口

135

人口密度 (/㎢)

06 米は日本文化の生きる糧

農業、経済、文化

「日本は瑞穂の国です。米は日本人の文化の中心にあります。米は衣食住に使われます。日常生活の一部なのです。」

菅野宗夫
(福島県飯舘村のコメ農家)

農業

　日本では、ほとんどの農家が水稲栽培をしている。春になると農家は田を耕し水を張る。その後、小さな苗を植える。水は植物にほとんど害を及ぼさない。実際、水は害虫の発生や雑草の形成を防いでいる。そのため、農家は毎日水位をチェックし、栽培全体を通して水を管理する。水稲栽培では、米 1 キログラム当たり 3,000 ～ 5,000 リットルの膨大な量の水が必要である。秋の収穫前、農家は水を切り、乾燥させ、稲をきれいにする。

3.3

10 億米ドル（千億円）
2010 年の福島県農業の経済価値

75

パーセント
2010年に田植した福島県の農地の割合

403, 697

トン
2010 年福島県の米生産量

経済

日本経済で米は重要な役割を果たしている。日本は米を完全に自給自足しており、国産米は高い輸入関税で守られている。一人当たりの消費量は年間 54.4 ㌔㌘だが、他にも紙、化粧品、薬といった多くの用途がある。このように需要が高いにもかかわらず、ほとんどの米はまだ小さな田んぼで栽培されている。仕入れや販売は日本農業協同組合（JA）が担当している。JA は価格を高い水準に維持し、伝統的な農業が外部の影響をほとんど受けないようにしている。

福島県内の酒蔵の数

[01] 笹正宗酒造株式会社　　　　（喜多方市）
[02] ほまれ酒造株式会社　　　　（喜多方市）
[03] 有限会社峰の雪酒造場　　　（喜多方市）
[04] 夢心酒造株式会社　　　　　（喜多方市）
[05] 合資会社吉の川酒造店　　　（喜多方市）
[06] 小原酒造株式会社　　　　　（喜多方市）
[07] 合資会社喜多の華酒造場　　（喜多方市）
[08] 合資会社大和川酒造店　　　（喜多方市）
[09] 合資会社会津錦　　　　　　（喜多方市）
[10] 栄川酒造合資会社　　　　　（西会津町）
[11] 合資会社廣木酒造本店　　　（会津坂下町）
[12] 豊国酒造合資会社　　　　　（会津坂下町）
[13] 曙造合資会社　　　　　　　（会津坂下町）
[14] 磐梯酒造株式会社　　　　　（磐梯町）
[15] 榮川酒造株式会社　　　　　（磐梯町）
[16] 合資会社稲川酒造店　　　　（猪苗代町）
[17] 末廣酒造株式会社　　　　　（会津若松市）
[18] 花春酒造株式会社　　　　　（会津若松市）
[19] 鶴乃江酒造株式会社　　　　（会津若松市）
[20] 合資会社辰泉酒造　　　　　（会津若松市）
[21] 山口合名会社　　　　　　　（会津若松市）
[22] 名倉山酒造株式会社　　　　（会津若松市）
[23] 高橋庄作酒造店　　　　　　（会津若松市）
[24] 宮泉銘醸株式会社　　　　　（会津若松市）
[25] 合資会社白井酒造店　　　　（会津美里町）
[26] 開当男山酒造　　　　　　　（南会津町）
[27] 会津酒造株式会社　　　　　（南会津町）
[28] 国権酒造株式会社　　　　　（南会津町）
[29] 花泉酒造合名会社　　　　　（南会津町）
[30] 有限会社金水晶酒造店　　　（福島市）
[31] 株式会社檜物屋酒造店　　　（二本松市）
[32] 大七酒造株式会社　　　　　（二本松市）
[33] 人気酒造株式会社　　　　　（二本松市）

[34] 奥の松酒造株式会社　　　　（二本松市）
[35] 大天狗酒造株式会社　　　　（本宮市）
[36] 有限会社渡辺酒造本店　　　（郡山市）
[37] 若関酒造株式会社　　　　　（郡山市）
[38] 笹の川酒造株式会社　　　　（郡山市）
[39] 有限会社仁井田本家　　　　（郡山市）
[40] 有限会社佐藤酒造店　　　　（郡山市）
[41] 佐藤酒造株式会社　　　　　（三春町）
[42] 有限会社玄葉本店　　　　　（田村市）
[43] 株式会社寿々乃井酒造店　　（天栄村）
[44] 松崎酒造店　　　　　　　　（天栄村）
[45] 若清水酒造株式会社　　　　（平田村）
[46] 豊國酒造合資会社　　　　　（古殿町）
[47] 合名会社大木代吉本店　　　（矢吹町）
[48] 合名会社大谷忠吉本店　　　（白河市）
[49] 千駒酒造株式会社　　　　　（白河市）
[50] 有賀醸造合資会社　　　　　（白河市）
[51] 白河銘醸株式会社　　　　　（西郷村）
[52] 株式会社矢澤酒店　　　　　（矢祭町）
[53] 合名会社四家酒造店　　　　（いわき市）
[54] 太平桜酒造合資会社　　　　（いわき市）
[55] 株式会社鈴木酒造店　　　　（浪江町）
[56] 石橋酒造場　　　　　　　　（会津若松市）
[57] 株式会社上田本家酒造工場　（浪江町）
[58] 鷺酒造店　　　　　　　　　（いわき市）
[59] 株式会社冨沢酒造店　　　　（いわき市）
[60] 株式会社藤田屋本店　　　　（棚倉町）

(*) [56-60] と蔵元の（所在地）は下記のペー
ジを参考にして訳者が追記した。
(https://www.takusan.net/sake/nihonshu/
kuramoto/fukushima.html)

3,074

福島県内の神社の数

1,133

福島県における米の神様（お稲荷さん）の神社の数

文化

　日本では米と食物が一体化している。「調理された米」という言葉の御飯（ごはん）は、日本語では「食事」と「食べ物」の両方を意味する。米は 2,000 年以上も前から日本の主食であり、日本の誇りであり、心の糧だった。神道独自の商売繁盛の神様は米の神様としても知られている。それは、稲荷（いなり）という名前 にも受け継がれている。狐の守護神のご利益を得るために、信者はお米やお酒のお供え物を神社に持っていくのが習わしになっている。稲作の際には、五穀豊穣を祈願する田植祭（たうえさい）(*1) など、稲荷のために特別な踊りを披露する。

(*1) 御田植祭（おたうえまつり）のこと。福島県では会津あたりの祭りが有名である。田植え始めに神を迎える行事「さおり」に対し、田の神を送る行事として「さなぶり」がある。民俗学では「さ」とは「田の神」を意味する。まず田植えの前に田の畦などに神の依代（よりしろ）を作り、天から田の神（＝ さ）を招き寄せるが、これが「さおり」（さ＋降り）であり、無事に田植えが終わると田の神は再び天に昇っていく。これが「さのぼり」（さ＋昇り）で、農民は植えた苗が台風や病害虫などに遭わず秋には豊作になるように祈った。「早苗饗（さなぶり）」は豊作祈願の神事であると同時に、田植えという重労働を終えての（共同体を挙げての）慰労会でもあった。（精選版 日本国語大辞典, https://kotobank.jp/）

風流の
初やおくの
田植うた

The beginning of all art-
in the deep north
a rice-planting song.

（英語の直訳）
すべての芸術の始まり
北の奥地にて
田植え歌

（*1）　芭蕉が須賀川で詠んだ俳句。
　「白河の関を越えて奥州路に入ると、折しも田植え時、
人々の歌う田植え歌はひなびた情緒が深く、これこそみ
ちのくで味わう風流の第一歩です」の意　（今栄蔵：芭
蕉句集，505番，P180，新潮日本古典集成，1982）

06　米は日本文化の生きる種

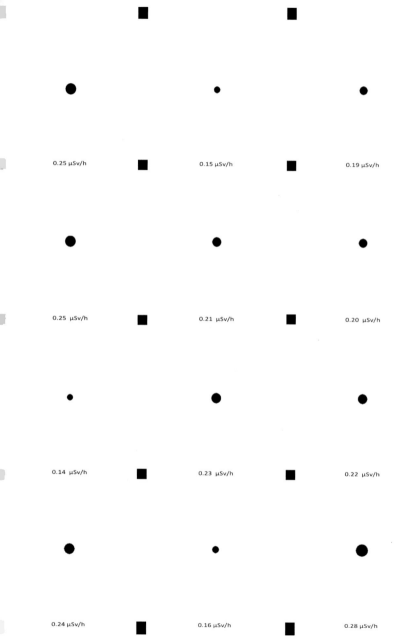

0.25 μSv/h   0.15 μSv/h   0.19 μSv/h

0.25 μSv/h   0.21 μSv/h   0.20 μSv/h

0.14 μSv/h   0.23 μSv/h   0.22 μSv/h

0.24 μSv/h   0.16 μSv/h   0.28 μSv/h

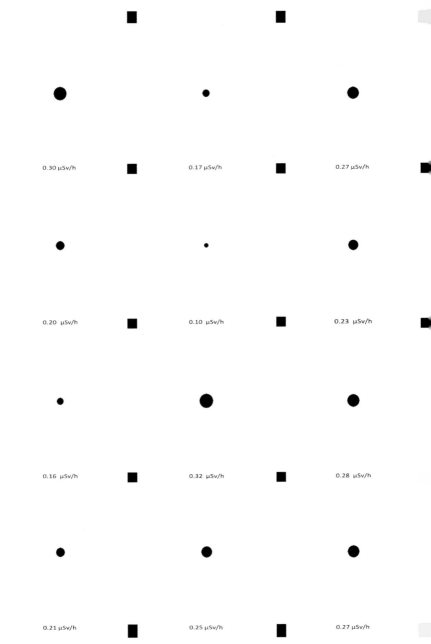

0.30 μSv/h   0.17 μSv/h   0.27 μSv/h

0.20 μSv/h   0.10 μSv/h   0.23 μSv/h

0.16 μSv/h   0.32 μSv/h   0.28 μSv/h

0.21 μSv/h   0.25 μSv/h   0.27 μSv/h

[1]

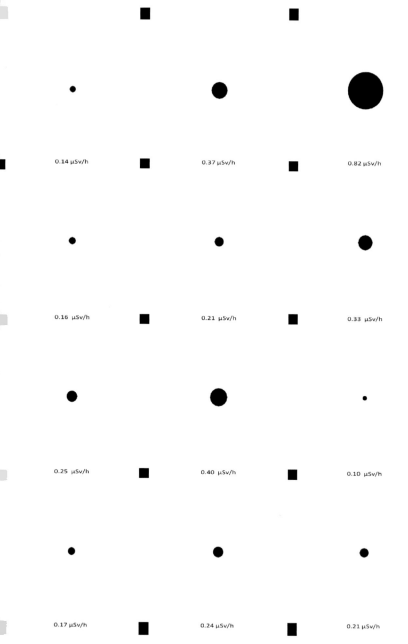

0.14 μSv/h

0.37 μSv/h

0.82 μSv/h

0.16 μSv/h

0.21 μSv/h

0.33 μSv/h

0.25 μSv/h

0.40 μSv/h

0.10 μSv/h

0.17 μSv/h

0.24 μSv/h

0.21 μSv/h

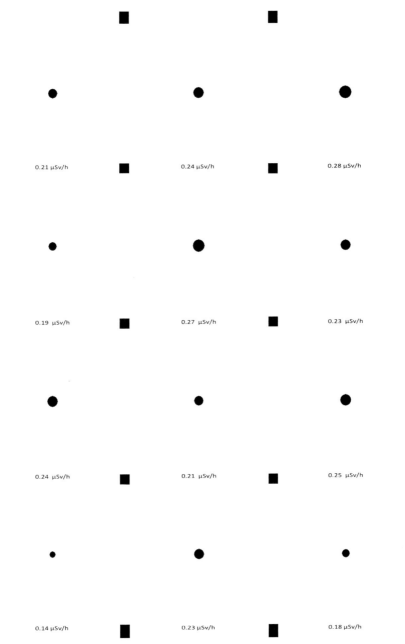

0.21 μSv/h   0.24 μSv/h   0.28 μSv/h

0.19 μSv/h   0.27 μSv/h   0.23 μSv/h

0.24 μSv/h   0.21 μSv/h   0.25 μSv/h

0.14 μSv/h   0.23 μSv/h   0.18 μSv/h

37.912611, 140.589417   0.25 μ Sv/h

37.892881, 140.570545　　0.24 μ Sv/h

0.21 µSv/h

0.14 µSv/h

0.26 µSv/h

0.22 µSv/h

0.17 µSv/h

0.13 µSv/h

0.24 µSv/h

0.17 µSv/h

0.24 µSv/h

0.27 µSv/h

0.19 µSv/h

0.21 µSv/h

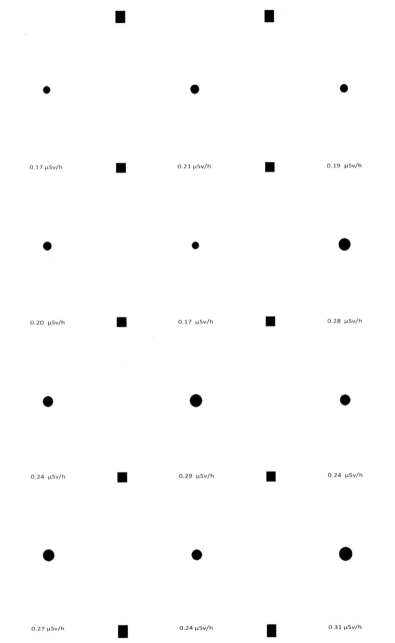

0.17 µSv/h   0.21 µSv/h   0.19 µSv/h

0.20 µSv/h   0.17 µSv/h   0.28 µSv/h

0.24 µSv/h   0.29 µSv/h   0.24 µSv/h

0.27 µSv/h   0.24 µSv/h   0.31 µSv/h

37.906202, 140.581602 0.24 μSv/h

[2]

[3]

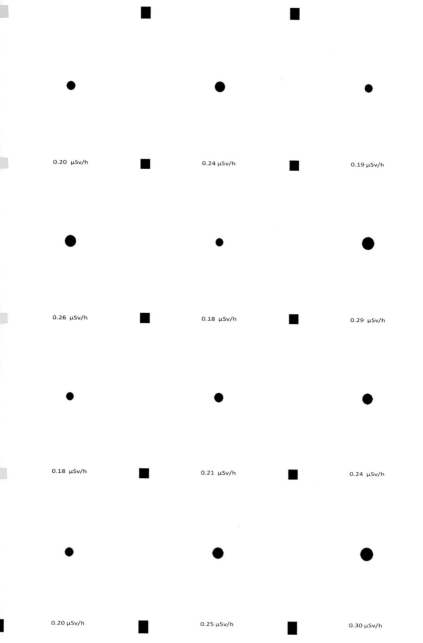

0.20 μSv/h   0.24 μSv/h   0.19 μSv/h

0.26 μSv/h   0.18 μSv/h   0.29 μSv/h

0.18 μSv/h   0.21 μSv/h   0.24 μSv/h

0.20 μSv/h   0.25 μSv/h   0.30 μSv/h

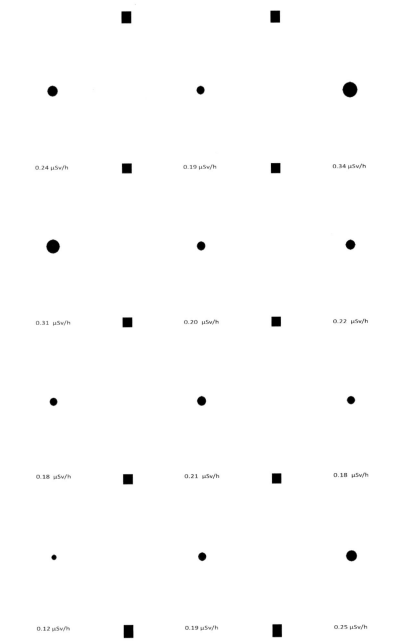

0.24 μSv/h   0.19 μSv/h   0.34 μSv/h

0.31 μSv/h   0.20 μSv/h   0.22 μSv/h

0.18 μSv/h   0.21 μSv/h   0.18 μSv/h

0.12 μSv/h   0.19 μSv/h   0.25 μSv/h

敷設ヲ見ルヤ全ク一農村ト化シ耕種ヲ以テ生業ト為スニ至リテ押上田溜池ヲ築

得ニ亦灌漑用金世話人トナリ工事ニ設計起工ニ基礎漸ク成シ明治十（二十）年ニ在リテ一

、助シ或ハ話人トナリテ修理ヲ施シ漸ク貯水スルヲ得タリ今ヤ二十九年上ノ圃場ニ

カ二ノ四ヌ此ノ地ヲトシテ槇ニ襄キ堤ニ築キ區民協力シテ完成スルヤ大旱魃ニ際シ

二年断ノ幾成ヨリ其後雨工ヲ打續キ此池ノ工事ニ此池ノ工事ニ如何セシカ如何セシカ千ニ池ニテ

漑甚多ノ之ニ年々水田増加シ今永不足ヲ感ス大正三四年頃ヨリ干魃村請乞七年

ク溜也、水ヲ使ヒ果シテ尚植付カヌヘシ處多ク七見八分降雨ニ海ニ通ジテ

保守ニ力厭ハズ水引一春走スレドモ如何セシ水涸レテ流レシ又回日〇〇建ノ

神社ニ集リテ雨乞ヲ計ヒ必ズ三冠ヲ乞月昔ニ至リテ「天賦ノ雲ノ電ニ寄

安眠セシ得レト同時ニ病ニ新水必要ヲ感シ〇〇〇〇〇具實此地ニ

櫻出セシ目謹ニ「我カ村ノ不眠木後建工事ニ着手スル事ニ〇〇〇〇〇

天縣ニ託シ必要ヲ感シ補助金並ニ水利工事〇〇〇〇〇〇〇〇〇

念許可ヲ得ヘ依テ工事委員トシテ村〇〇区民論德一同〇〇〇〇〇

風雨ニ犯シ粉骨碎身工事〇〇〇〇〇〇〇〇〇〇〇〇〇〇

三年ニ至ル後成セリ工事ハ止十年〇〇〇〇〇〇〇〇〇〇

[1] 水田は灌漑しやすいように細い土手（*1）で区切られている。

[2] 飯舘村近くの農地は除染が進んでいる。

[3] 伊達郡国見町近くの水雲神社の鳥居。

[4] 水田の水を貯めるため池の建造に関する碑文が書かれている石板。

（*1）畦畔（あぜ）のこと

07 3.11 原発事故の衝撃

2011 年 3 月 11 日、14:46

「東の方から谷間に響き渡る音が聞こえました。地面が揺れ始め、目の前の道に地割れができ始めました。母のことが心配だったので、地割れを飛び越えて家まで走っていきました。」

大久保金一
（福島県飯舘村の花仙人）

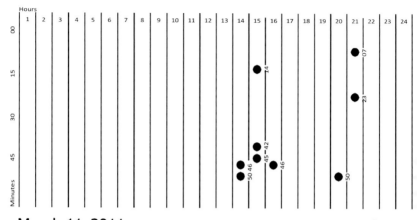

March 11, 2011

Day 1

2011 年 3 月 11 日　1 日目

● 14:46
東京の北東 373km、深
さ 24km を震源とするマ
グニチュード 9.0 の地震
が発生。福島第一原子力
発電所の 3 基の原子炉ユ
ニットが自動停止。

● 14:50
地震による高さ 14 メー
トルの津波が福島県沿岸
を襲う。

● 15:14
日本政府が災害対策本部
を設置。

● 15:42
発電所の交流電源が全て
喪失。

● 15:45
非常用ディーゼル発電機
用の燃料タンクが津波に
流される。

● 16:46
1 号機と 2 号機の緊急炉
心冷却システムが故障。

● 20:50
発電所の半径 2km の全
員に避難指示が発令され
る。

● 21:07
1 号機原子炉内の格納容
器の圧力開放弁を開き、
蒸気を空気中に放出。(い
わゆるベント)

● 21:23
発電所の半径 3km 圏内
の全員に避難指示が発令
される。

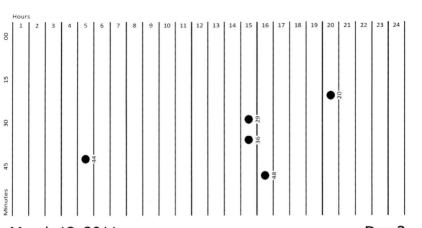

March 12, 2011   Day 2

2011 年 3 月 12 日　2 日目

● 5:44
福島第一原子力発電所の
半径 10km 圏内の全員に
避難指示が発令される。

● 15:29
発電所の放射線計の測定
値が 500 μ Sv/h を超え
る。

● 15:36
水素爆発で第 1 号原子
戸建て物の屋根が吹き飛
ぶ。

● 16:48
発電所の半径 20km 圏内
の全員に避難指示が発令
される。

● 20:20
1 号機の炉心を冷却する
ために海水とホウ素を注
入開始。

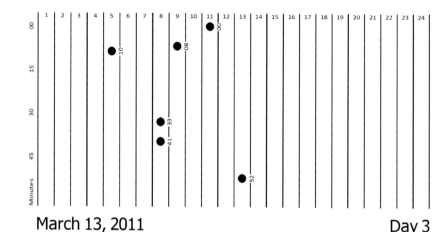

March 13, 2011

Day 3

2011 年 3 月 13 日　3 日目

福島第一原子力発電所の地図
[1] タービン建屋と 5 号炉・6 号炉
[2] タービン建屋と 1 号炉・2 号炉
[3] タービン建屋と 3 号炉・4 号炉
[4] 北防波堤
[5] 南東防波堤

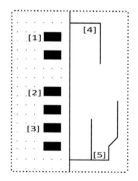

● 5:10
3 号機原子炉の緊急炉心冷却システムが故障電所の 3 基の原子炉ユニットが自動停止。

● 8:33
福島第一原子力発電所の放射線測定値が 1204.2 μ Sv/h を超える。

● 8:41
3 号機の原子炉格納容器の圧力開放弁を開き、蒸気を大気中に放出。

● 9:08
3 号機の炉心を冷却するために緊急注水を開始。

● 11:00
2 号機原子炉の格納容器の圧力開放弁を開き、蒸気を大気中に放出。

● 13:52
発電所の放射線測定値が 1557.5 μ Sv/h を超える

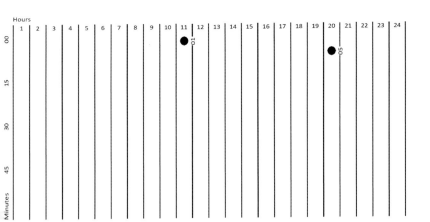

March 14, 2011

Day 4

2011 年 3 月 14 日　4 日目

● 11:01
水素爆発によって 3 号機
原子炉建屋の屋根が吹き
飛ぶ。

● 20:05
2 号機の炉心を冷却する
ために緊急海水注入を開
始。

原子炉の内部構造
[1] 原子炉建屋
[2] 格納容器
[3] 原子炉圧力容器
[4] 制御棒
[5] 台座

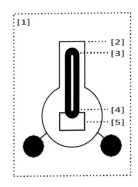

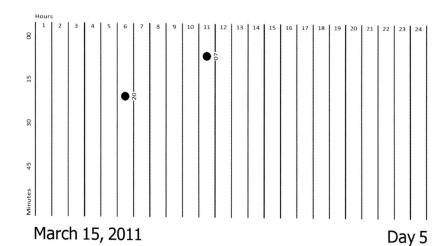

Hours

| 1 | 2 | 3 | 4 | 5 | 6 | 7 | 8 | 9 | 10 | 11 | 12 | 13 | 14 | 15 | 16 | 17 | 18 | 19 | 20 | 21 | 22 | 23 | 24 |

March 15, 2011

Day 5

2011 年 3 月 15 日　5 日目

● 6:20
2 号機原子炉の抑制室から爆発のような音が聞こえる。

● 11:07
福島第一原子力発電所の半径 30km 圏内の人に屋内待機指示を発令。

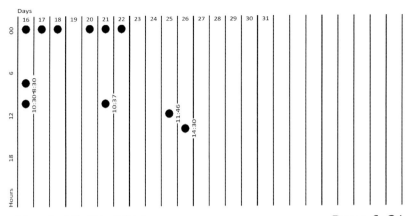

March 16–31, 2011

Days 6–21

2011 年 3 月 16-31 日　6 ～ 21 日目

●3 月 16 日　8:30
3 号機の原子炉建屋から
白煙があがる。

●3 月 16 日　10:30
福島第一原子力発電所の
放射線測定値が 1mSv/h
を超える。

●3 月 16 日
福島県の牛乳の放射能が
安全基準値を超える。

●3 月 17 日
茨城県の水の放射能が安
全基準値を超える。

●3 月 18 日
福島県ほうれん草の放射
能が安全基準値を超え
る。

●3 月 20 日
福島県の一部の地域で
は、水道水の飲料水は安
全でないと宣言される。

●3 月 21 日
福島県の植物の土壌から
プルトニウムが見つか
る。

●3 月 21 日　10:37
重要構造物の冷却対策を
開始。

●3 月 22 日
外部電源が 6 基の原子炉
ユニットすべてに接続さ
れる。

●3 月 25 日　11:46
発電所の半径 30km 圏内
の人に避難指示が発令さ
れる。

●3 月 26 日　14:30
発電所の排水から基準
値の 1850.5 倍のヨウ素
-131 が見つかる。

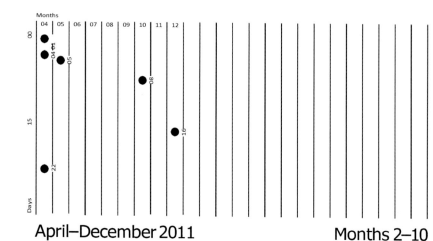

April–December 2011

Months 2–10

2011 年 4-12 月　2-10 カ月目

●4月1日
封じ込め対策が開始される。

●4月4日
高濃度汚染水のためのスペースを確保するために、放射能の少ない11,521トンの水が海洋に放出される。

●5月5日
防護服を着た作業員が1号機に入り始める。

●10月8日
30キロ避難区域外で高レベルの放射性粒子が発見される。

●12月16日
漏洩する原子炉は日本人によって制御下（アンダーコントロール）にあると宣言される。

5

日
最初の大災害が継続した時間

6,560

年
放射性降下物が半減期に達するまでの時間

「政府が安全・安心と言っていたので、原発事故のことは
考えていなかった」

菅野啓一
（福島県飯舘村の花農家）

6

福島第一原子力発電所の原子炉数

4.7

GW（ギガワット）
福島第一原子力発電所の全原子炉を合わせた発電量

239

km
東京から福島第一原子力発電所までの距離

570,000,000

GBq（ギガベクレル）
災害時に大気中に放出された
セシウム -134 とヨウ素 -131 の放射能

0.0254

GBq（ギガベクレル）
ウラン 1kg の放射能

「メルトダウンの後、風が放射性物質を北西方向に運んだ。その数日後に雨が降り、空中に漂っていた放射性物質がここに落ちてきた」

溝口 勝
（東京大学農学生命科学研究科教授）

放射線地図
2011 年の福島

10-60 μSv/h

1-10 μSv/h

0-1 μSv/h

2.5 km

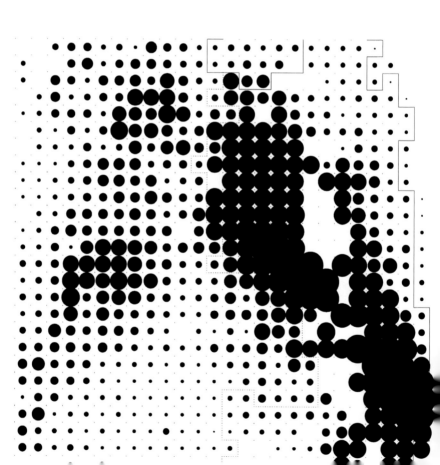

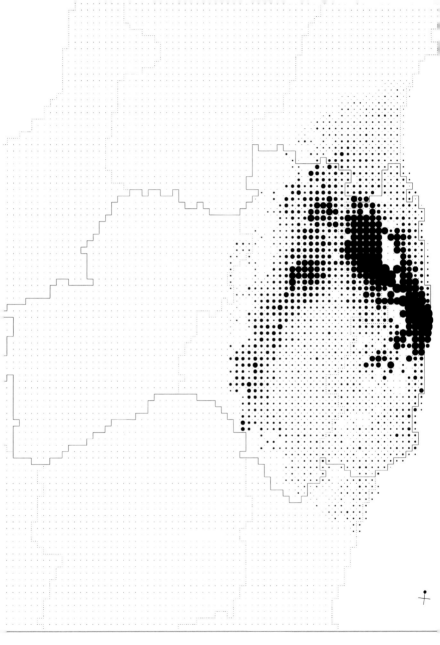

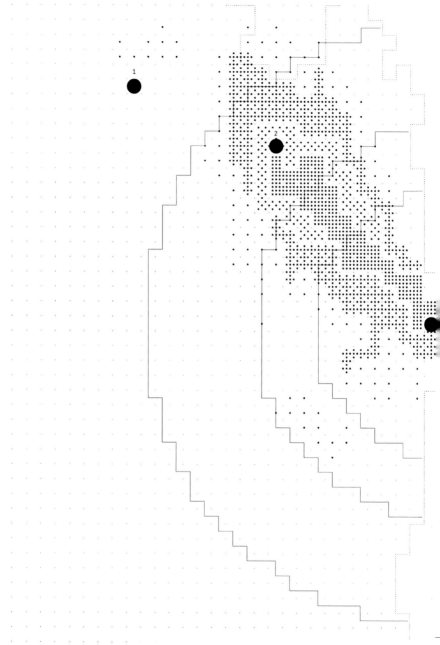

「家族が離れ離れになり、自分がどこにいるのかもわから
なくなった。私たちの生活のすべてが一瞬にして失われ
た。もうなんとも言いようがない。」

1 福島市
2 飯舘村
3 第一発電所

⋮⋮⋮　　　19–91 μSv/h

⋰⋰　　　　9.5–19 μSv/h

⋰　　　　　3.8–9.5 μSv/h

·　　　　　　1.9–3.8 μSv/h

─　　　　　20 km, 30 km, 50 km
　　　　　　発電所からの距離

　　　　　　2.5 km

菅野宗夫
（福島県飯舘村のコメ農家）

[1] 事故や防犯ために、制限区域の周
りに設置された多数の検問所の一つ

[1]

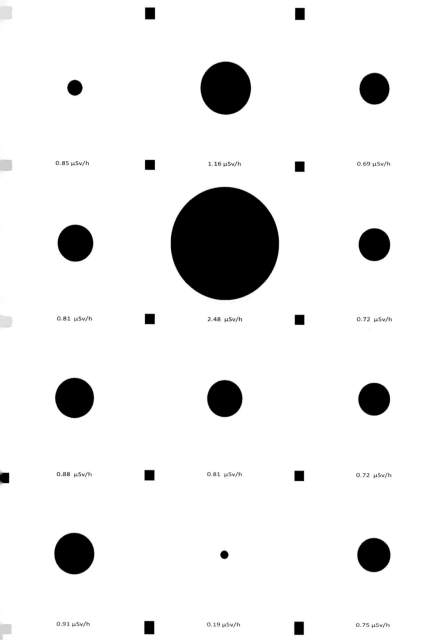

0.85 μSv/h   1.16 μSv/h   0.69 μSv/h

0.81 μSv/h   2.48 μSv/h   0.72 μSv/h

0.88 μSv/h   0.81 μSv/h   0.72 μSv/h

0.91 μSv/h   0.19 μSv/h   0.75 μSv/h

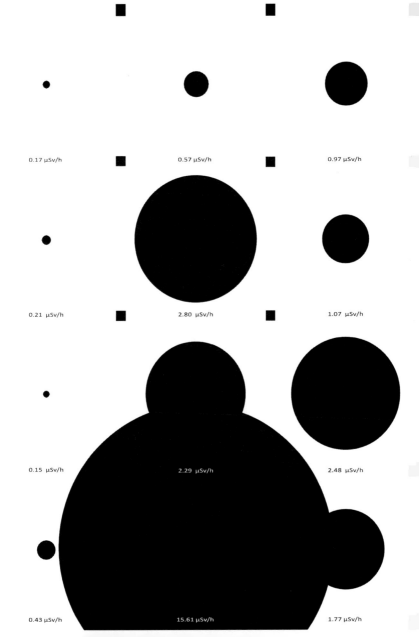

0.17 μSv/h

0.57 μSv/h

0.97 μSv/h

0.21 μSv/h

2.80 μSv/h

1.07 μSv/h

0.15 μSv/h

2.29 μSv/h

2.48 μSv/h

0.43 μSv/h

15.61 μSv/h

1.77 μSv/h

[3]

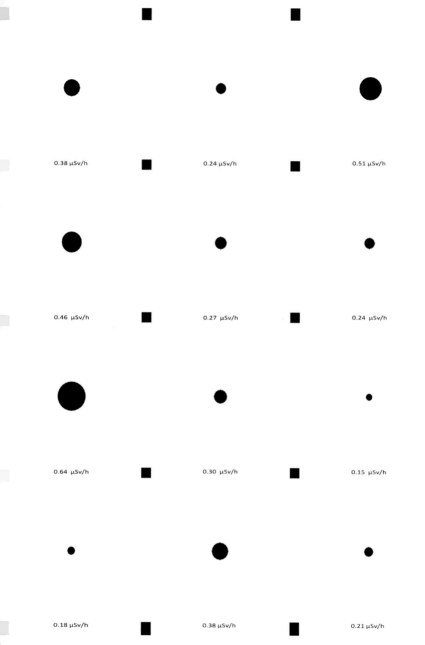

0.38 μSv/h   0.24 μSv/h   0.51 μSv/h

0.46 μSv/h   0.27 μSv/h   0.24 μSv/h

0.64 μSv/h   0.30 μSv/h   0.15 μSv/h

0.18 μSv/h   0.38 μSv/h   0.21 μSv/h

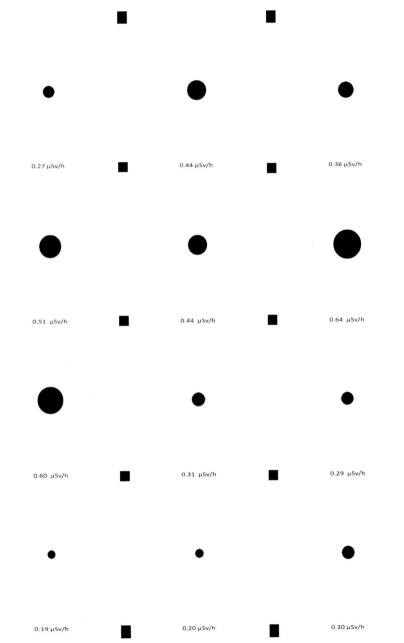

0.27 μSv/h   0.44 μSv/h   0.36 μSv/h

0.51 μSv/h   0.44 μSv/h   0.64 μSv/h

0.60 μSv/h   0.31 μSv/h   0.29 μSv/h

0.19 μSv/h   0.20 μSv/h   0.30 μSv/h

[2] 津波で数キロ内陸に運ばれた船
[3] 家の中のカレンダーは、住民が避
難した時間が記されている

08 事故がもたらした惨禍

人・環境・経済のために

人

　福島第一原子力発電所の原子炉がメルトダウンした後、半径 20ｷﾛﾒｰﾄﾙの面積 1,257 平方ｷﾛﾒｰﾄﾙが封鎖された。数日後、日本政府は風と雨の影響を受けた地域を追加して、封鎖範囲をさらに 20ｷﾛﾒｰﾄﾙ拡張した。そのため約 16 万人が自宅を離れ、緊急避難所に移動しなければならなかった。放射線が直接人を殺さなかったとしても、その影響は多くの人にとって致命的だった。病人や高齢者は十分な医療を受けられず、緊急避難所では十分な支援も得られず避難中に死亡した。さらに、多くの人が生計、社会環境、故郷を失い、アルコール依存症、うつ病、自殺に追い込まれた。飯舘村の最高齢の住民である 102 歳の方でさえ、2011 年 4 月に避難を拒んで自ら命を絶った。

　世界原子力協会によると、避難の結果、約 2,000 人が死亡。現在 (*1)、12 万 2,000 人が帰宅を許され、3 万 2,600 人が帰宅待機しているとされる。しかし、多くの人は戻るべきかどうか迷っている。

*1）この本が出版された 2019 年 6 月の時点

15,895

災害による死者数

6,000

災害による負傷者数

2,539

2018 年の行方不明者数

300,
000

災害で避難を余儀なくされた人数

174,
000

2016 年 3 月以降の避難者数

73,349

2018 年 3 月時点の避難者数

11

2014年福島県における10,000人中の自殺率

2

2014年の日本おける10,000人中の自殺率

「この事故は目に見えない恐怖をもたらしました。私たちはそれを目に見える形にしなければなりません。デジタル化して後世に残す必要があるんです。」

菅野宗夫
（福島県飯舘村コメ農家）

2014 年の福島

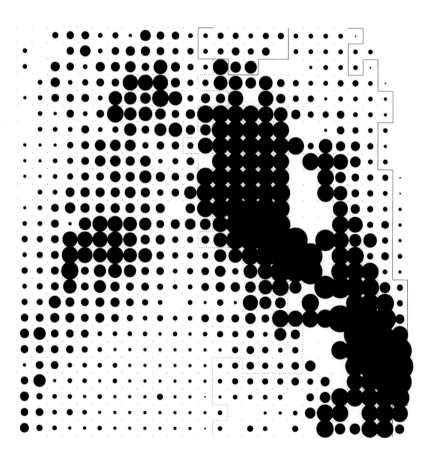

10-60 µSv/h
1-10 µSv/h
0-1 µSv/h

2.5 km

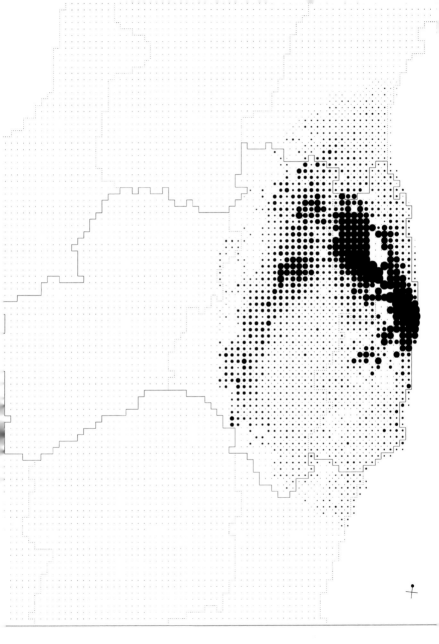

放射線地図
2016 年の福島

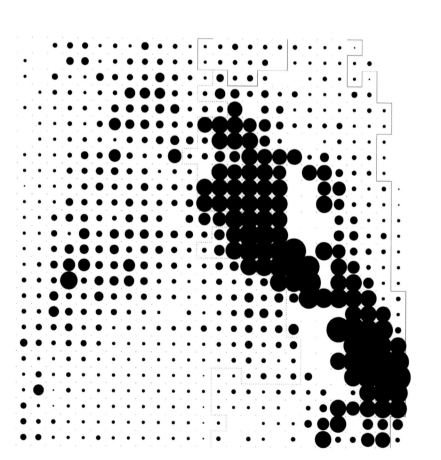

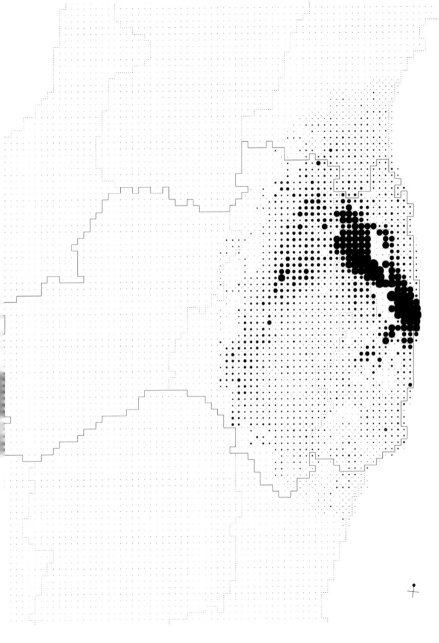

環境

　制限区域で人間の活動がなくなったことで、その地域に生息する野生動物の環境が変化した。

　チェルノブイリ神話によって広まった、自然は人間の介入がなくても「もとの状態に戻る」とか、「新らたな力」を見出すといった常套句は、福島には当てはまらない。放射能に汚染されたため野生のブタ、クマ、ニホンタヌキの駆除ができず、その数は事故以前に比べて約5倍に増加したが、鳥やセミ、蝶などの動物は放射能の影響で個体数が激減している。

　一方、家畜や栽培作物は着実に回復している。農家は汚染されていない作物をウシ、ヒツジ、ウマに餌として与えることで完全な除染に成功した。研究によるとこの方法で、わずか2〜8週間で放射能入りのミルクをすべてきれいにできるとしている。モモやコメなどの作物も安全基準を満たしている。収穫物の多くが不検出の放射能レベルになった。それでもひとつ問題が残っている。それは放射能検査に時間がかかり、検査が終わる頃には多くの商品がダメになってしまうという問題である。

100

パーセント
福島県の災害の影響をうけた福島県の面積

70

パーセント
福島県の山林面積

8.8

パーセント
福島県の農地面積

54

2010年に日本でエネルギー供給した原子炉数

0

2012年に日本でエネルギー供給した原子炉数

12

2020年に日本でエネルギー供給を予定している原子炉数

経済

　福島第一原子力発電所の原発事故は、日本経済にとっても壊滅的なダメージをもたらした。政府の推計によると、2016年のいわゆる災害関連費用は21.5兆円（約1880億米ドル）に上ったという。原発の全基停止を求める国民の圧力により、日本政府は想定外の出費に直面した。電力供給を維持するために、政府は2013年だけでも化石燃料の輸入を26_{パーセント}も増やさなければならなかった。

　放射能の被害を受けた地域では、震災の結果、産業の全部門が崩壊した。福島県の多くの地域で、農業、漁業、観光業は長く放置された。この地域は、未だに人が訪問するだけで勇気ある行為だといわれるほどの環境にある。

　わずかながら状況は改善しつつあるものの、福島からの農産物の一部は24カ国で輸入禁止になっている。ほとんどの農産物が安全規制を満たし、汚染されていないのに、台湾、韓国、中国は、福島県からの食品を完全に輸入禁止にしている。

「原発事故後、福島県で栽培されたコメは市場から締め出され、動物のエサとして売られました。除染など多くの対策をして検査結果に放射能は出なくなったのに、風評被害はいまだに続いています。」

三浦正一
（福島県工房ひろせ・
NPO法人理事長）

コメ価格

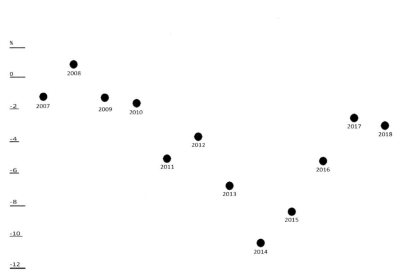

除染

「飯舘村の主産業は農業なのに土壌が汚染されてしまったことが最大の問題です。政府は地表面から5〜10センチの土壌を除染して山砂に置き換えました。しかし、福島の農業が成功していたのは、何十年、何百年もかかって農家が肥沃にしてきた土壌のおかげです。山砂には農業するのに十分な養分が足りません。そのため、農家は土壌をゼロからつくり直さねばなりません。これが大変な作業なのです。

もうひとつの大きな問題は、農地から取り除かれた汚染土壌が入った何百万もの黒いフレコンバックが地域のあちこちに積み上げられていることです。これは農家からさらに多くの土地を奪っています。(*1)」

(*1) これ以上に深刻なのは、汚染土壌の入った黒いフレコンバックの景観が汚染村のイメージを悪くしているため、帰村して農業に取り組もうとする若者がほとんどいないことである。

溝口　勝
（東京大学農学生命科学研究科教授）

16,000,000

m³
福島県全域における一時保管所に保管され
ている汚染土壌の量

438

m³
ボーイング 767 貨物機の貨物量

汚染土壌の量は、36,530 回分の貨物機の貨物量に等しい

08 事故がもたらした惨禍

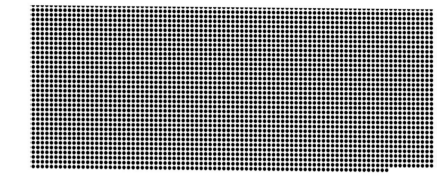

放射性廃棄物を入れた黒いフレコ
ンバックは周囲の風景に合うよう
に保管されることが多い（*1）

（*1）実際には積み上げた袋が紫外線などで劣
化しないように緑色のシートで覆われている。

農地は重機で表土をはぎ取って除
染されている

歩行者

08 事故がもたらした惨禍

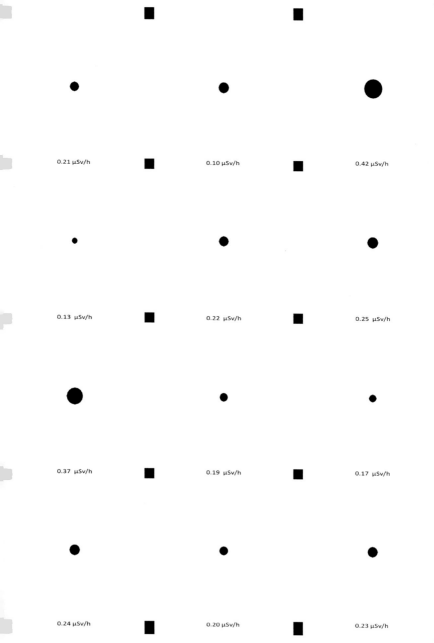

0.21 μSv/h

0.10 μSv/h

0.42 μSv/h

0.13 μSv/h

0.22 μSv/h

0.25 μSv/h

0.37 μSv/h

0.19 μSv/h

0.17 μSv/h

0.24 μSv/h

0.20 μSv/h

0.23 μSv/h

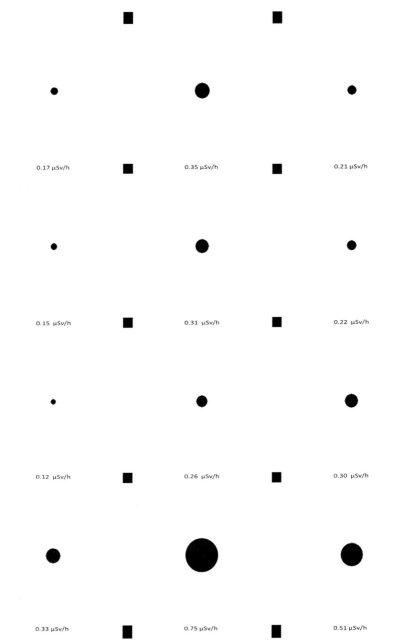

0.17 μSv/h   0.35 μSv/h   0.21 μSv/h

0.15 μSv/h   0.31 μSv/h   0.22 μSv/h

0.12 μSv/h   0.26 μSv/h   0.30 μSv/h

0.33 μSv/h   0.75 μSv/h   0.51 μSv/h

国指定重要無形民俗文化財

相馬野馬追

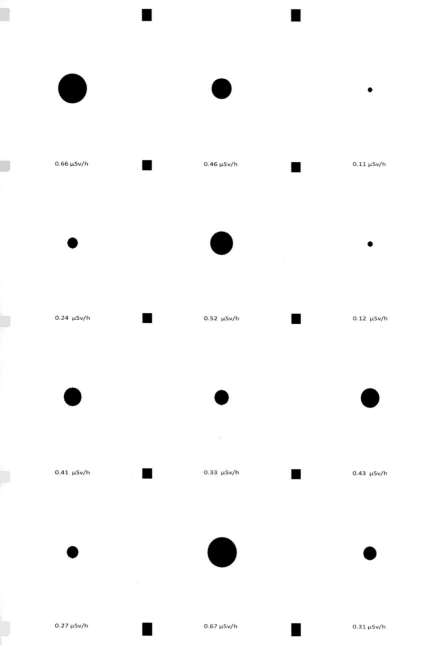

0.66 μSv/h

0.46 μSv/h

0.11 μSv/h

0.24 μSv/h

0.52 μSv/h

0.12 μSv/h

0.41 μSv/h

0.33 μSv/h

0.43 μSv/h

0.27 μSv/h

0.67 μSv/h

0.31 μSv/h

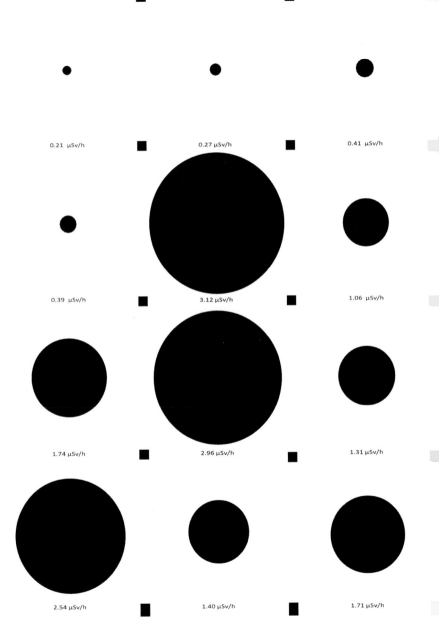

0.21 µSv/h

0.27 µSv/h

0.41 µSv/h

0.39 µSv/h

3.12 µSv/h

1.06 µSv/h

1.74 µSv/h

2.96 µSv/h

1.31 µSv/h

2.54 µSv/h

1.40 µSv/h

1.71 µSv/h

37.720894, 140.615340   0.41 μSv/h

2.36 µSv/h

2.41 µSv/h

2.48 µSv/h

1.39 µSv/h

1.66 µSv/h

2.54 µSv/h

2.76 µSv/h

1.55 µSv/h

2.48 µSv/h

1.39 µSv/h

1.57 µSv/h

1.41 µSv/h

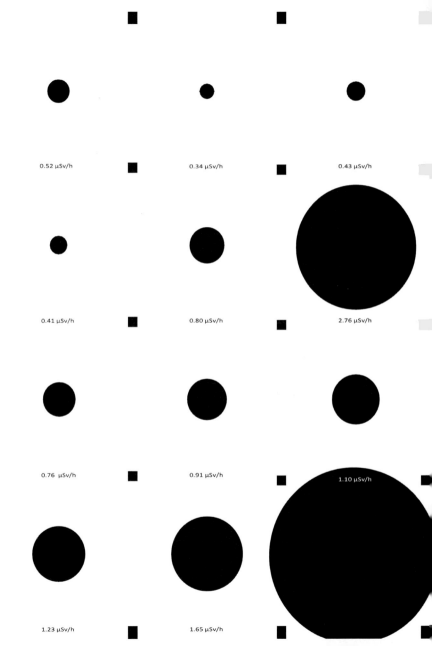

0.52 µSv/h

0.34 µSv/h

0.43 µSv/h

0.41 µSv/h

0.80 µSv/h

2.76 µSv/h

0.76 µSv/h

0.91 µSv/h

1.10 µSv/h

1.23 µSv/h

1.65 µSv/h

37.449667, 141.009222   2.76 μ Sv/h

37.449667, 141.009222   2.76 μ Sv/h

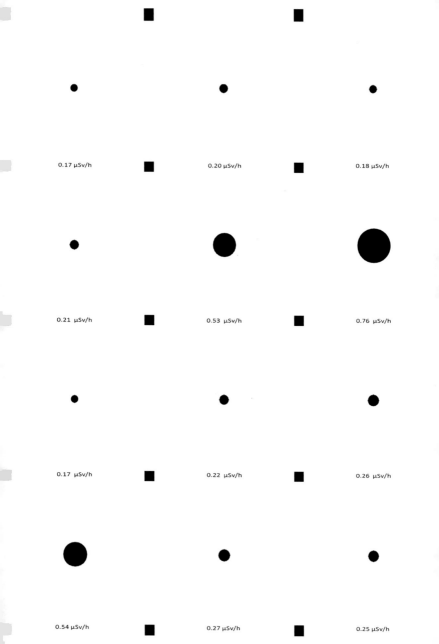

0.17 µSv/h

0.20 µSv/h

0.18 µSv/h

0.21 µSv/h

0.53 µSv/h

0.76 µSv/h

0.17 µSv/h

0.22 µSv/h

0.26 µSv/h

0.54 µSv/h

0.27 µSv/h

0.25 µSv/h

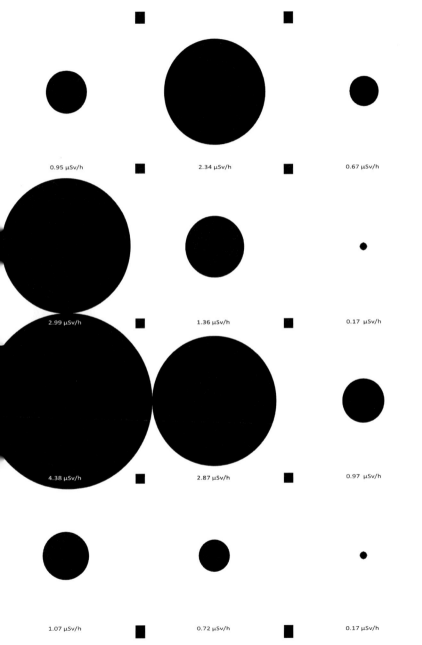

0.95 µSv/h

2.34 µSv/h

0.67 µSv/h

2.99 µSv/h

1.36 µSv/h

0.17 µSv/h

4.38 µSv/h

2.87 µSv/h

0.97 µSv/h

1.07 µSv/h

0.72 µSv/h

0.17 µSv/h

37.504472, 140.997111   0.17 μ Sv/h

[3]

37.359892, 141.010251   4.38 μ Sv/h

[4]

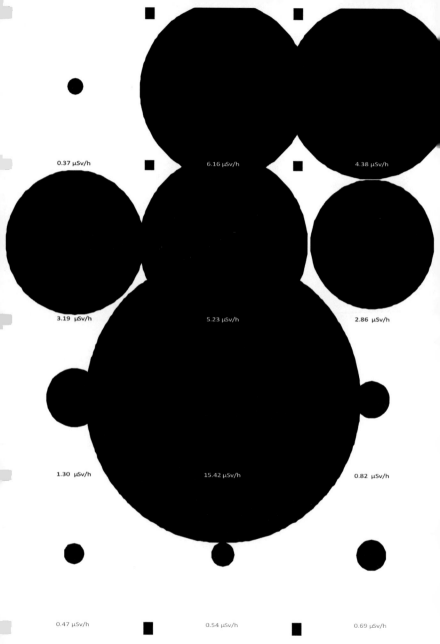

0.37 μSv/h

6.16 μSv/h

4.38 μSv/h

3.19 μSv/h

5.23 μSv/h

2.86 μSv/h

1.30 μSv/h

15.42 μSv/h

0.82 μSv/h

0.47 μSv/h

0.54 μSv/h

0.69 μSv/h

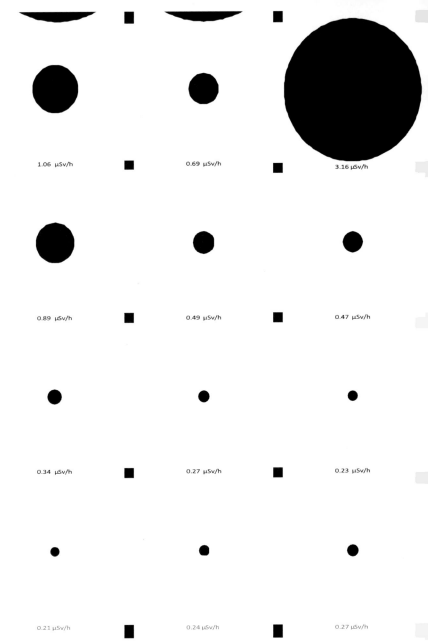

1.06 μSv/h

0.69 μSv/h

3.16 μSv/h

0.89 μSv/h

0.49 μSv/h

0.47 μSv/h

0.34 μSv/h

0.27 μSv/h

0.23 μSv/h

0.21 μSv/h

0.24 μSv/h

0.27 μSv/h

[5]

37.494888, 140.994056 0.34 μ Sv/h

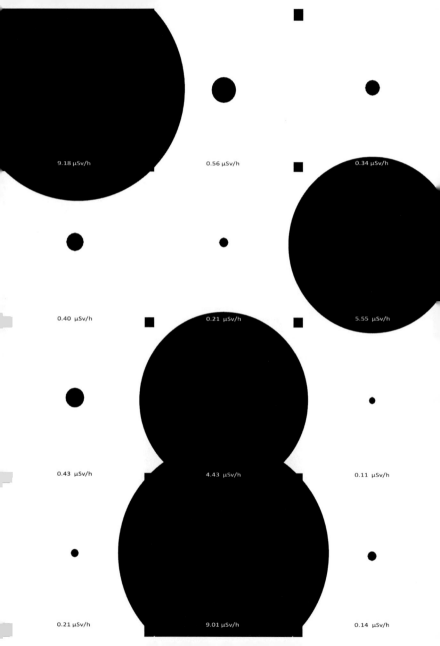

9.18 μSv/h

0.56 μSv/h

0.34 μSv/h

0.40 μSv/h

0.21 μSv/h

5.55 μSv/h

0.43 μSv/h

4.43 μSv/h

0.11 μSv/h

0.21 μSv/h

9.01 μSv/h

0.14 μSv/h

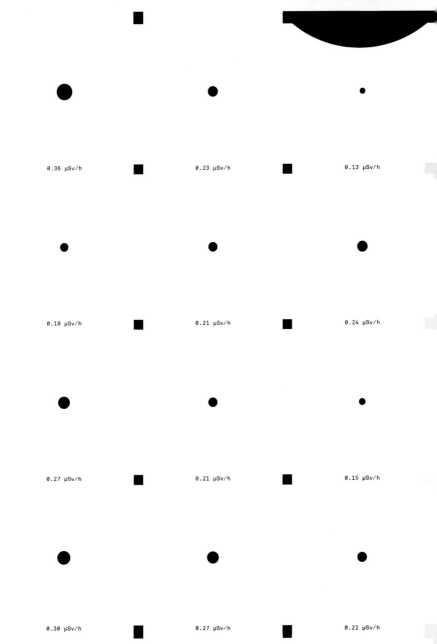

0.36 µSv/h

0.23 µSv/h

0.13 µSv/h

0.19 µSv/h

0.21 µSv/h

0.24 µSv/h

0.27 µSv/h

0.21 µSv/h

0.15 µSv/h

0.30 µSv/h

0.27 µSv/h

0.22 µSv/h

[1] 汚染土壌の保管場所における広告（*1）
（*1）相馬野馬追の看板

[2] 福島県全域で、ガイガーカウンター（放射線測定器）が周辺地域の放射性量を示す。

[3] 発電所近くの荒廃したアーケード

[4] 汚染度が高い國玉神社（浪江町）

[5] この道が福島第一原子力発電所に続く

09 日本一美しい汚染村

福島県　飯舘村

2011 年 3 月 15 日、風向きと雨が飯舘村という小さ
な村の運命を決めた。かつて日本で「最も美しい村」と
称された福島県飯舘村が立ち入り禁止区域になった。一
次立ち入り禁止区域外にあったにもかかわらず、「飯舘」
の名は瞬く間に世界的に有名になった。風が放射性物質
の粒子を飯舘村の方向に運び、そして、3 月 15 日、雨
や雪となって地上に落ちた。極めて高い放射線量の中で
の 1 カ月間生活した後に、住民は避難を強制された。

　2012 年、菅野典雄村長は 2017 年までに帰村でき
るようにすると約束した。その年、村は活動が再開され
た東西地域、日帰り訪問に限り立ち入り許可が下りた中
心地域、そして立ち入り禁止区域と指定された南部の山
岳地域の 3 つの地域に分けられた。(*1)

*1) 村長は 2 年のうちに全村民が一括で帰村できるようにしたいと当初は言っていたが、2012 年 7
月 17 日に国により村内が避難指示解除準備区域・居住制限区域・帰還困難区域に 3 地域に分断された。

2017年3月31日、菅野村長は約束を果たした。第3地域を除き、飯舘村はふたたび居住可能地域となった。しかし、それはかつての住居や職場、観光地からは程遠い姿であった。農地と牧草地が削られて、汚染土壌で満杯の黒いフレコンバックが山のように積み重ねられている。村の入り口には、放射線量の表示板と一緒に「お帰りなさい」という看板が設置されている。

　いま村が直面している最大の問題は「ふるさと意識」を持つ人が少ないことである。これはこの村にかぎったことではない。若者は都会での生活を好み、田舎に住んでいる人は日本人口のわずか8パーセントにすぎないのだ。しかも、飯舘村には放射線のイメージがつきまとい、人々の定住を阻んでいる。飯舘村を含む福島県の全地域がこうした汚名を着せられている。この地域で生産された農作物を消費することは、多くの人にとっては勇気のいることである。

　事故から6年が過ぎた2017年、菅野村長は言った。「村は被災前と同じになることはないだろうが、もしかしたらまったく新しい方法で発展していくのかも知れない。悲観的なままでいたら、生活は良くならないでしょう。」と。

6,209

2010 年の飯舘村の人口

261

震災後、飯舘地域の除染活動にボランティア
参加した高齢者の市民数 (*1)

(*1) 認定 NPO 法人ふくしま再生の会の会員
数のこと

41

2015 年の飯舘村の人口

2,300

ヘクタール
2010 年に飯舘村で使われていた農地の面積

20

ヘクタール
2017 年に飯舘村で使われていた農地の面積

「飯舘村には自然の恵みがたくさんあることを世界の人々に知ってもらいたい。大地の恵みを育てられないことは、命を失うようなものです」

菅野宗夫
（福島県飯舘村のコメ農家）

174-175

[1] 飯舘の家は、人が住んでいないのに、
ほとんどの家がきれいに保たれている

[2] 飯舘村の中心部に新しくできたアイ
スクリーム屋さん（*1）

（*1） 飯舘村に入る直前の国道115号
線沿いに震災前からあった伊達市のアイ
スクリーム屋さん。飯舘村に入る前に取
材班の一行を連れて行ったので印象が
残っていたと思われる。

[1]

09　日本一美しい汚染村

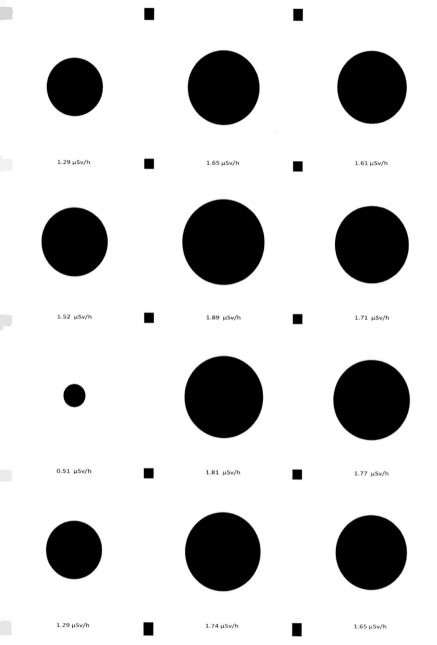

1.29 µSv/h

1.65 µSv/h

1.61 µSv/h

1.52 µSv/h

1.89 µSv/h

1.71 µSv/h

0.51 µSv/h

1.81 µSv/h

1.77 µSv/h

1.29 µSv/h

1.74 µSv/h

1.65 µSv/h

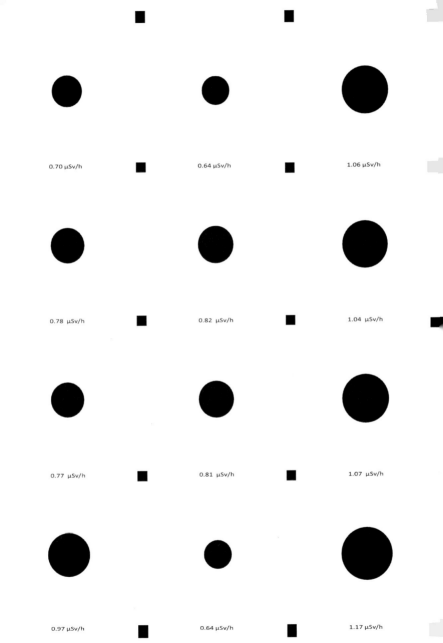

0.70 μSv/h

0.64 μSv/h

1.06 μSv/h

0.78 μSv/h

0.82 μSv/h

1.04 μSv/h

0.77 μSv/h

0.81 μSv/h

1.07 μSv/h

0.97 μSv/h

0.64 μSv/h

1.17 μSv/h

37.690639, 140.834306   0.82 μ Sv/h

[2]

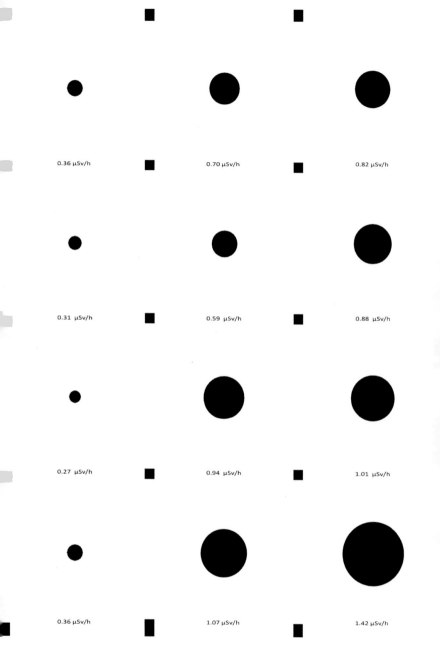

0.36 µSv/h	0.70 µSv/h	0.82 µSv/h
0.31 µSv/h	0.59 µSv/h	0.88 µSv/h
0.27 µSv/h	0.94 µSv/h	1.01 µSv/h
0.36 µSv/h	1.07 µSv/h	1.42 µSv/h

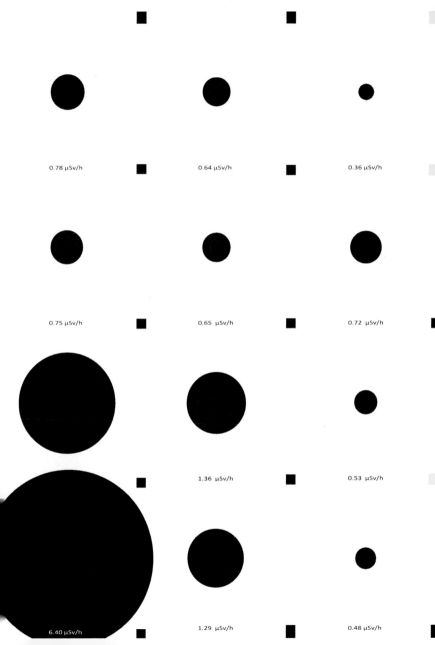

0.78 μSv/h

0.64 μSv/h

0.36 μSv/h

0.75 μSv/h

0.65 μSv/h

0.72 μSv/h

1.36 μSv/h

0.53 μSv/h

6.40 μSv/h

1.29 μSv/h

0.48 μSv/h

37.755306, 140.693673   0.36 μ Sv/h

[4]

[3] 菅野啓一さんは自身が立っている場所の草を除染した。
うしろの森はまだ高濃度の汚染が残っている。(*2)

(*2) 飯舘村の農家の家屋の後ろには家を建替える際の木材
を確保するために「いぐね」と呼ばれる先祖代々の屋敷林が
ある。原発事故ではこの屋敷林が汚染されてしまった。環境
省の基準で家屋から20㍍までの木を切り、その地表面も除
染したが、その奥にある屋敷林の落ち葉と地面から常に放射
線が飛んでくる。認定NPO法人ふくしま再生の会のメンバー
とともに菅野啓一さんは2016年6月に自ら重機を操作して
汚染土壌を削り、それを地中に埋設して家屋内の放射線量を
下げた。

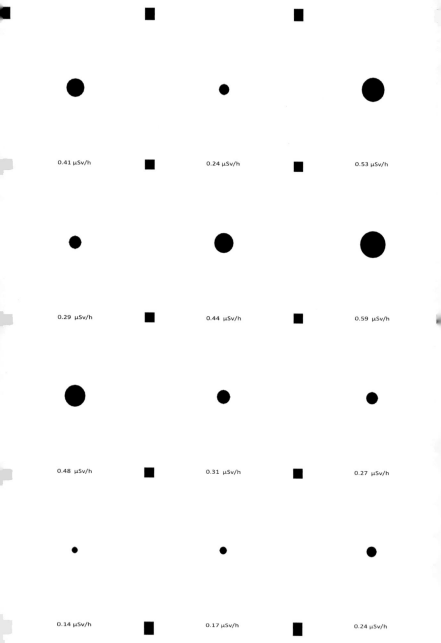

0.41 μSv/h

0.24 μSv/h

0.53 μSv/h

0.29 μSv/h

0.44 μSv/h

0.59 μSv/h

0.48 μSv/h

0.31 μSv/h

0.27 μSv/h

0.14 μSv/h

0.17 μSv/h

0.24 μSv/h

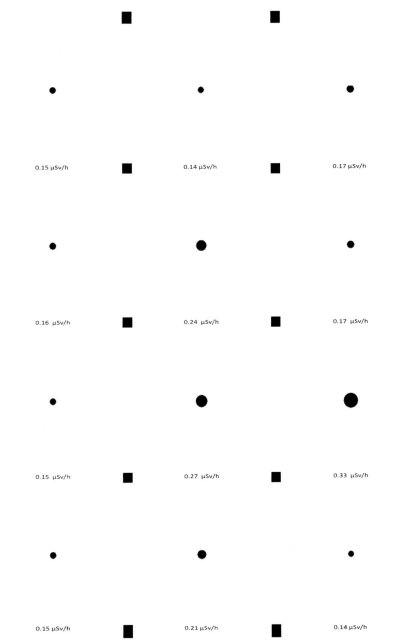

0.15 μSv/h

0.14 μSv/h

0.17 μSv/h

0.16 μSv/h

0.24 μSv/h

0.17 μSv/h

0.15 μSv/h

0.27 μSv/h

0.33 μSv/h

0.15 μSv/h

0.21 μSv/h

0.14 μSv/h

37.737528, 140.728194 0.14 μ Sv/h

[5]

37.737140, 140.726841　0.15 μSv/h

[6]

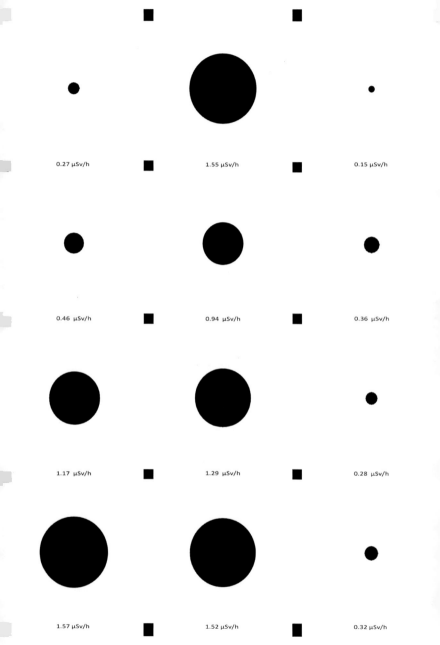

0.27 μSv/h

1.55 μSv/h

0.15 μSv/h

0.46 μSv/h

0.94 μSv/h

0.36 μSv/h

1.17 μSv/h

1.29 μSv/h

0.28 μSv/h

1.57 μSv/h

1.52 μSv/h

0.32 μSv/h

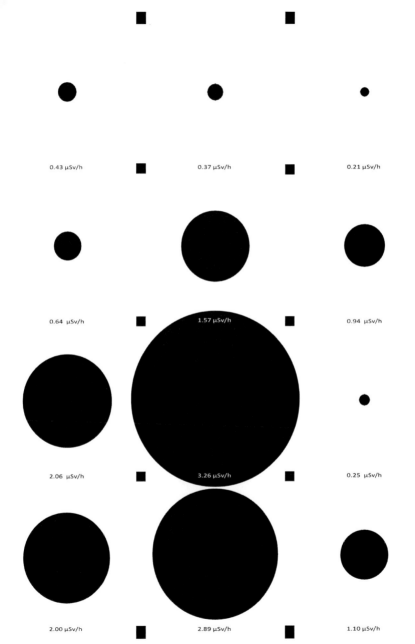

0.43 μSv/h

0.37 μSv/h

0.21 μSv/h

0.64 μSv/h

1.57 μSv/h

0.94 μSv/h

2.06 μSv/h

3.26 μSv/h

0.25 μSv/h

2.00 μSv/h

2.89 μSv/h

1.10 μSv/h

[4] この田んぼが持続的な方法（*3）で除染された最初の農地である

[5] 菅野宗夫さんは飯舘村でずっと農業をしてきた

[6] 飯舘村の大部分は放置されたままである

（*3）この本では「持続的な方法」という表現になっているが、「手間をかけて丁寧に」という飯舘村の方言「までい（真手い）」から溝口が「までい工法」と名付けた方法である。

10 復興と再生に向けて

持続可能な除染法と新たな展望

持続可能な除染（までい工法）(*3)

　「までい工法」が、2012年に溝口勝博士と環境科学者の仲間によって導入された (*4)。その方法によって福島県の農家は先祖代々受け継いだ田んぼで安全なお米を収穫することができるようになった。

　政府が採用している土壌剥ぎ取り法は、重機を使って表土を削り、栄養分のない山砂に置き換える。肥沃な表土が削られ、十分な栄養分を持たない山砂が客土されている。これではコメを栽培できない。それに対してまでい工法は肥沃な土壌をその場に保ったまま農地を除染する。農家が保有する道具だけを使うので農家自身でも簡単にできる。

　この方法は放射性セシウムが粘土粒子に結合するという発見に基づいている。粘土粒子はまた水中では沈みにくい。そのため田んぼに水を貯めてから回転式の除草機やレーキなどの簡単な道具で表土を攪拌すると、粘土粒子とセシウムの化合物が表土から離れて、泥水になる。その泥水を繰り返し田んぼの側に掘った穴に流して、乾燥させ、安全な離れた場所に埋めることができる。実に簡単だ。

(*3) 政府（農水省）は2012年8月に汚染の程度に応じて3種類の除染工法（①表土剥ぎ取り、②代かき、③反転耕）を推奨した。しかし、実際には①の方法だけが採用されため、大量の除染土壌が残された。ここで紹介されている方法は②になる。ただ、政府の方法とこの方法の一番の違いは汚染土壌をその場に埋めてしまうことにある。溝口（訳者）は埋めた汚染土壌からセシウムが漏れないことを現在も継続的に観測しているが、2012年当時は政府として埋設を認める状況にはなかった。そのため、現地実証試験で効果が確認されていたものの、までい工法が公的に採用されることはなかった。

(*4) 2012年4月に菅野宗夫さんの水田で実施した。50年ほど前に田植え後に使われていた田車（たぐるま）と呼ばれる手押し式の除草機で水を張った水田の土壌をかき混ぜて、濁った泥水を田んぼの横に掘った穴に流し込んだ。

こうやって田んぼはコメを栽培するのに十分な肥沃度を保ったまま除染する。

　までい工法は、肥沃な土壌を維持するだけでなく、除染で生じる放射性廃棄物を劇的に減らせる。大量の汚染土壌を処理する代わりに、セシウムと粘土の化合物だけを保管すればよい。溝口博士が行った実証試験では、土壌の汚染が半分以下に減少し、これらの田んぼで生産されたコメの放射能が検出レベル以下であることが示された。

除染過程

● セシウム
● 粘土
・ 土
・ 水

[1] 放射性セシウムは表土の粘土に吸着する

[2] セシウムと粘土を取り除くために、田んぼに水を入れる

[3] 表土を簡単な道具で攪拌する

[4] セシウムと粘土の化合物が上部に上がり、土が下に沈む

[5] セシウムと粘土は水と一緒に排水される。その結果田んぼが除染される

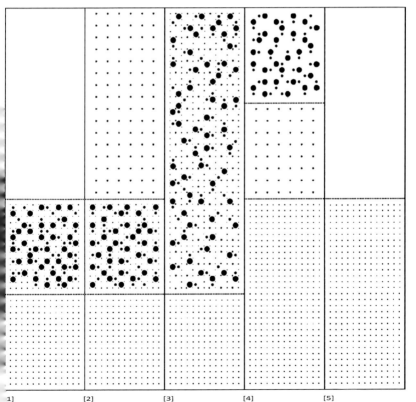

[1]   [2]   [3]   [4]   [5]

1,000

㎥
表土削り取り除染法で発生した
放射性廃棄物の１ヘクタール当たりの量

34

Bq/kg
汚染された田んぼで作られたコメの
放射性セシウム濃度

50

㎥
までい工法で出てくる
1ヘクタール当たりの放射性廃棄物の量

ND

Bq/kg
までい工法で除染された農地で
とれたコメの放射性セシウム濃度 (検出不可)

[1] 粘土とセシウムの化合物を田んぼの側の穴に流して、乾燥させる

[2] ボランティアが除染された田んぼでコメを収穫して測定する

[3] 放射能測定用に収穫したコメを集める

[4] 溝口博士がパイプに放射線計を差し込んで埋設された汚染土からの放射線量を定期的に測定する

[1]

[2]

[3]

4]

「この方法で80_{パーセント}の放射性セシウムを除去できます。

　その結果、ここで収穫されたコメは公定検査をパスしました。」

溝口 勝
（東京大学農学生命科学研究科教授

除染過程

までい工法を行う前後における土壌中のセシウムの量と分布

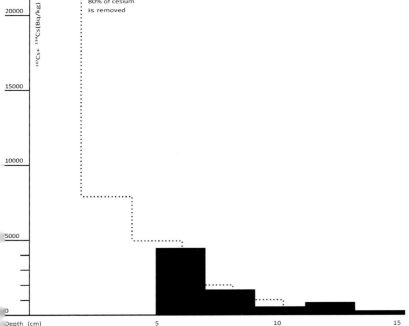

[1] 農家が除染された田んぼに田植えする

1]

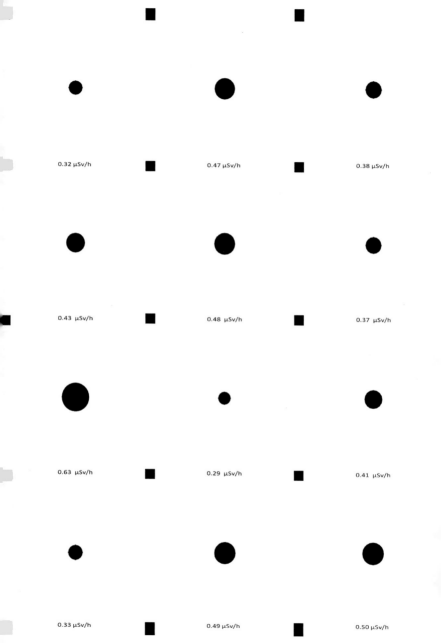

0.32 μSv/h   0.47 μSv/h   0.38 μSv/h

0.43 μSv/h   0.48 μSv/h   0.37 μSv/h

0.63 μSv/h   0.29 μSv/h   0.41 μSv/h

0.33 μSv/h   0.49 μSv/h   0.50 μSv/h

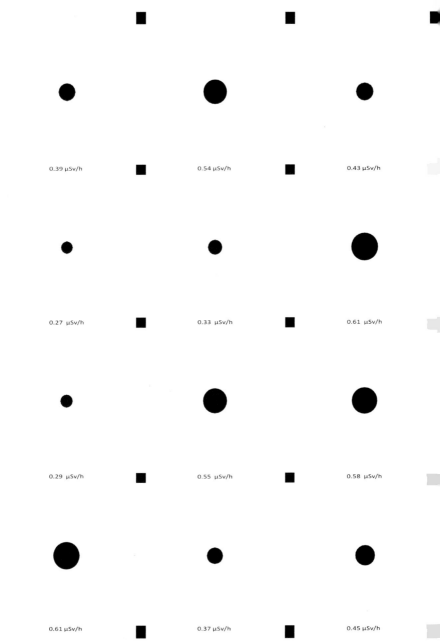

0.39 μSv/h

0.54 μSv/h

0.43 μSv/h

0.27 μSv/h

0.33 μSv/h

0.61 μSv/h

0.29 μSv/h

0.55 μSv/h

0.58 μSv/h

0.61 μSv/h

0.37 μSv/h

0.45 μSv/h

37.733880, 140.690858　0.33 μ Sv/h

37.690539, 140.727098　0.48 μ Sv/h

[2]

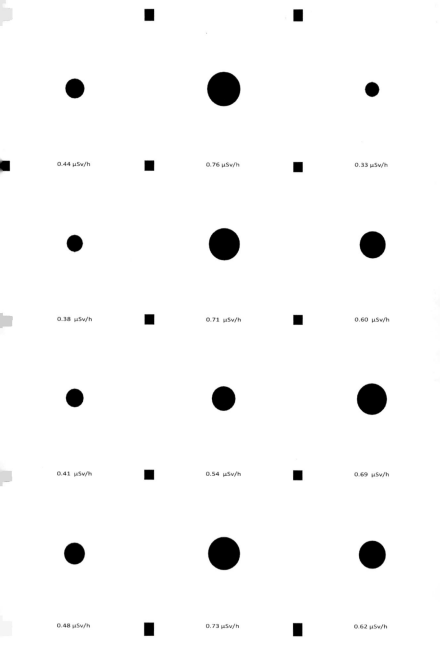

0.44 μSv/h

0.76 μSv/h

0.33 μSv/h

0.38 μSv/h

0.71 μSv/h

0.60 μSv/h

0.41 μSv/h

0.54 μSv/h

0.69 μSv/h

0.48 μSv/h

0.73 μSv/h

0.62 μSv/h

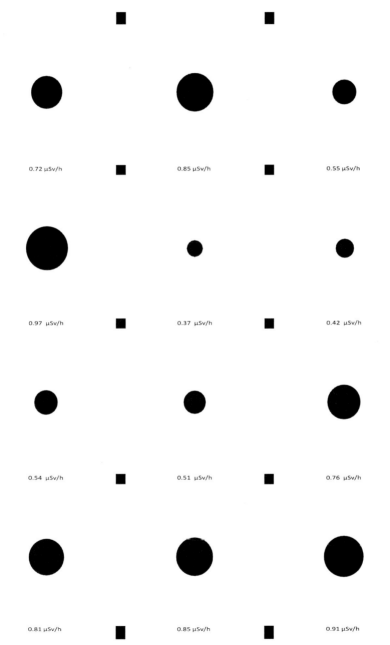

0.72 μSv/h

0.85 μSv/h

0.55 μSv/h

0.97 μSv/h

0.37 μSv/h

0.42 μSv/h

0.54 μSv/h

0.51 μSv/h

0.76 μSv/h

0.81 μSv/h

0.85 μSv/h

0.91 μSv/h

[3]

[2] 訪問者に土壌科学を教育する目的
で建てた土壌博物館の前に立つミゾ

[3] ミゾとコリンが除染法（までい工
法）の背後にある物理学のトリック
を実演する

温室農業

　　福島県の一部の農家は、新しい農業を求めて温室を使いはじめた。この方法は「環境管理型農業」と呼ばれ、作物を育てるのに除染済みの隔離環境をつくり、水と土壌の浸食の問題を解決している。また、ある農家は、気密性が高く、人工的に照明を施した建物で、ふつうの温室とは違う「植物工場」の建設に切り替えている。高い天井の下に積み重ねられた数千のポットに作物が栽培される。シーズンオフがないので、農家は管理された条件下で安定的に一年中作物を栽培できる。

「大切なのは、水やりのタイミングを知ることです。従来は、農家が葉の色を見ながらタイミングを決めていました。しかし、センサを使えば、客観的な数字を見てタイミングを決められます。ここ飯舘村で理想的な灌漑システムをつくることが、日本の未来型農業を先導することになるのです。まさに今がチャンスなのです。」

溝口 勝
(東京大学農学生命科学研究科教授)

1,000

パーセント
慣行農業と比較した温室農業の収量の増加

24/7
/365

温室農業による栽培工程の管理

1]

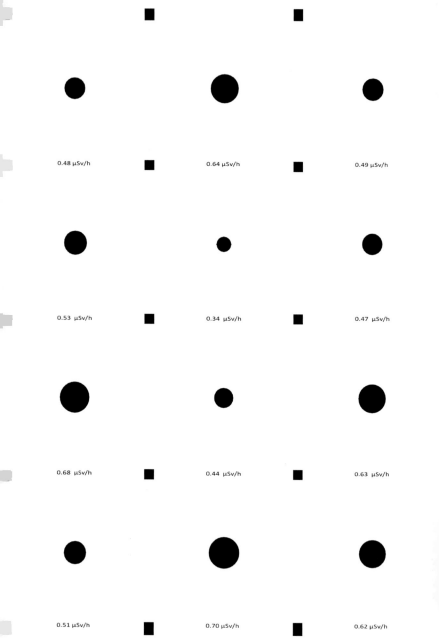

0.48 µSv/h

0.64 µSv/h

0.49 µSv/h

0.53 µSv/h

0.34 µSv/h

0.47 µSv/h

0.68 µSv/h

0.44 µSv/h

0.63 µSv/h

0.51 µSv/h

0.70 µSv/h

0.62 µSv/h

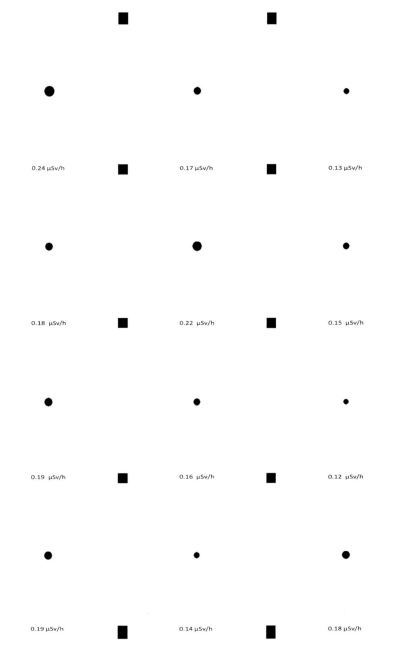

0.24 μSv/h

0.17 μSv/h

0.13 μSv/h

0.18 μSv/h

0.22 μSv/h

0.15 μSv/h

0.19 μSv/h

0.16 μSv/h

0.12 μSv/h

0.19 μSv/h

0.14 μSv/h

0.18 μSv/h

[2]

37.913111, 140.595415 0.22 μSv/h

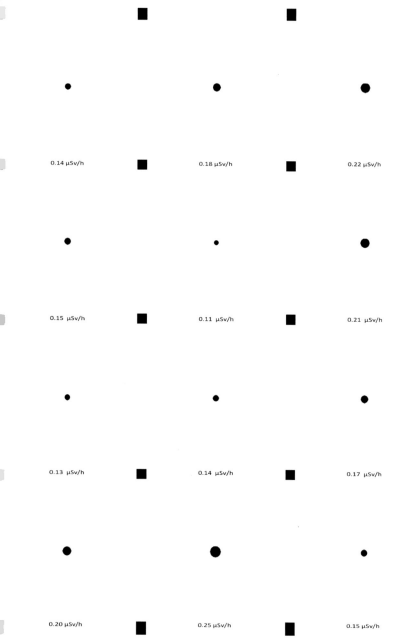

0.14 μSv/h

0.18 μSv/h

0.22 μSv/h

0.15 μSv/h

0.11 μSv/h

0.21 μSv/h

0.13 μSv/h

0.14 μSv/h

0.17 μSv/h

0.20 μSv/h

0.25 μSv/h

0.15 μSv/h

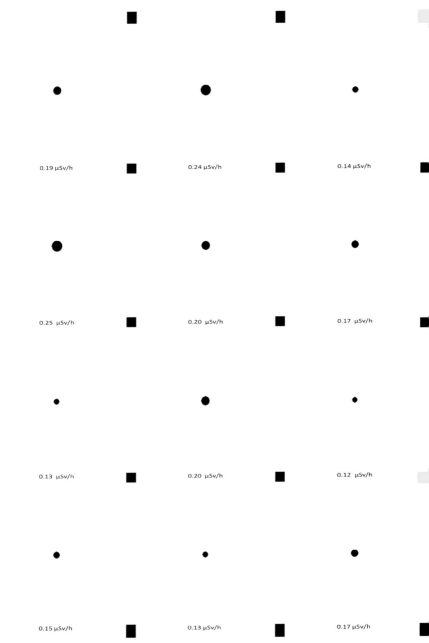

0.19 μSv/h

0.24 μSv/h

0.14 μSv/h

0.25 μSv/h

0.20 μSv/h

0.17 μSv/h

0.13 μSv/h

0.20 μSv/h

0.12 μSv/h

0.15 μSv/h

0.13 μSv/h

0.17 μSv/h

コミュニティ

　新しいコミュニティ意識が福島を越えて希望を取り戻しつつある。2011 年に、研究者、ボランティア、福島の住民が力を合わせて認定 NPO 法人ふくしま再生の会を設立した。この団体は、被災したすべての住民に対し、支援や専門的な援助や健康医療を提供している。

　そして夕食会を定期的に開いてはコミュニティの結びつけを強化し、農家に生活再建のためのツールを提供している。全国から学生も参加している。この地域への関心が高まり、多くのボランティアが定期的に活動を行うようになってきた。訪問先では、学生たちが農業について学び、農家を支援する活動をしている。

「協働の精神は日本文化に深く根ざしています。日本人は水田の水を分け合い、多くの作業を一緒に行います。しかし、今はあまり人が村に戻っていないので、すべて自分でしければなりません。地域全体ではなく、ほんの数人でコメを作らなければならないのが大きな問題です。」

菅野啓一
（福島県飯舘村の花農家）

[1] 飯舘村民協議会（*1）のメンバーは定期的に会合を開き、夕食を共にする

[2] 可能な限り地元産のものを使用しているが、汚染されやすいキノコはほかの地から取り寄せている（*2）

（*1）飯舘村民協議会ではなく、認定 NPO 法人ふくしま再生の会（*3）のこと。この会のメンバーは週末の土日に飯舘村の隣の伊達市にある閉鎖された診療所を借りて宿泊し、自炊していた。この本を作るために飯舘村に来た取材班もこの夕食会に参加した。

（*2）食材は伊達市のスーパーで購入していた。きのこもそこで普通に購入していた。

（*3）ふくしま再生の会の活動については「田尾陽一著：飯舘村からの挑戦－自然との共生をめざして、ちくま新書（2020）」に詳細に書かれている。

[1]

（右側欄外）37.765772, 140.739967 0.25 μSv/h

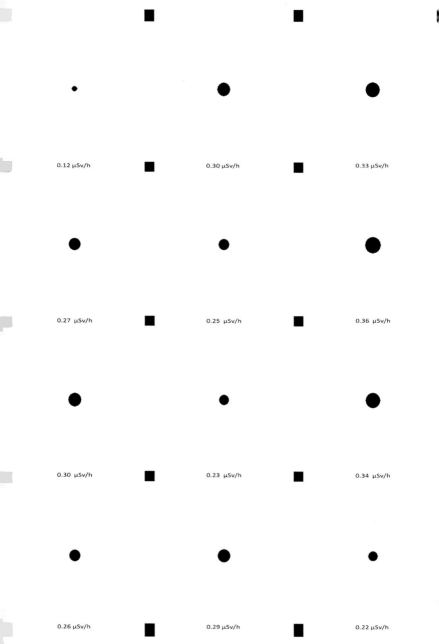

0.12 μSv/h

0.30 μSv/h

0.33 μSv/h

0.27 μSv/h

0.25 μSv/h

0.36 μSv/h

0.30 μSv/h

0.23 μSv/h

0.34 μSv/h

0.26 μSv/h

0.29 μSv/h

0.22 μSv/h

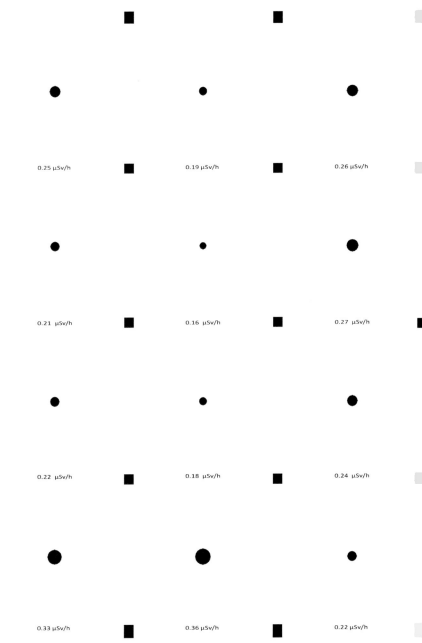

0.25 μSv/h   0.19 μSv/h   0.26 μSv/h

0.21 μSv/h   0.16 μSv/h   0.27 μSv/h

0.22 μSv/h   0.18 μSv/h   0.24 μSv/h

0.33 μSv/h   0.36 μSv/h   0.22 μSv/h

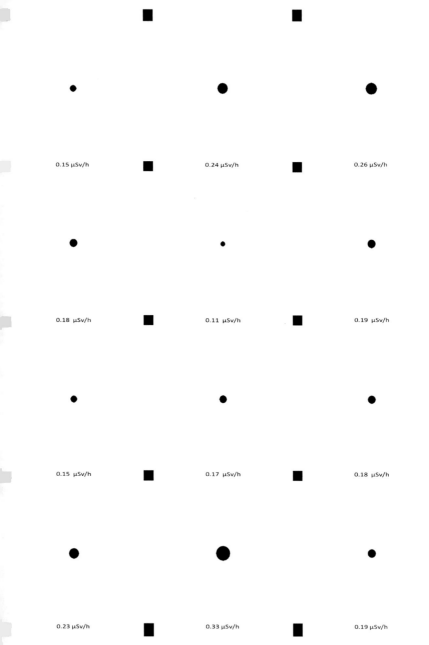

0.15 µSv/h   0.24 µSv/h   0.26 µSv/h

0.18 µSv/h   0.11 µSv/h   0.19 µSv/h

0.15 µSv/h   0.17 µSv/h   0.18 µSv/h

0.23 µSv/h   0.33 µSv/h   0.19 µSv/h

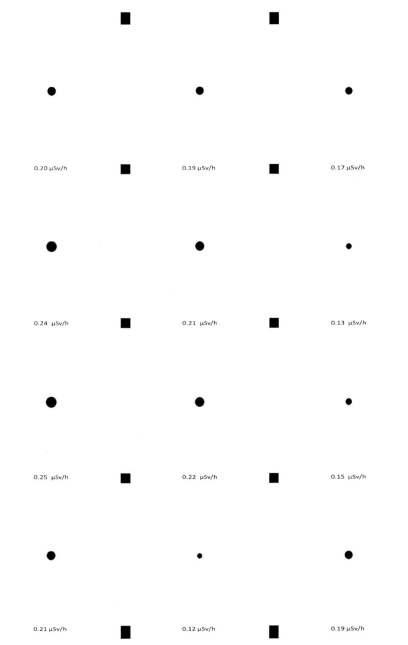

0.20 μSv/h

0.19 μSv/h

0.17 μSv/h

0.24 μSv/h

0.21 μSv/h

0.13 μSv/h

0.25 μSv/h

0.22 μSv/h

0.15 μSv/h

0.21 μSv/h

0.12 μSv/h

0.19 μSv/h

37.765734, 140.739973　0.15 μSv /

37.765722, 140.739933　0.25 μ Sv/h

[2]

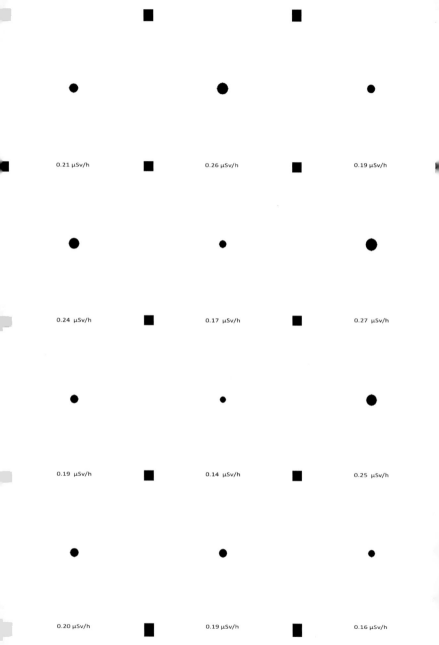

0.21 μSv/h   0.26 μSv/h   0.19 μSv/h

0.24 μSv/h   0.17 μSv/h   0.27 μSv/h

0.19 μSv/h   0.14 μSv/h   0.25 μSv/h

0.20 μSv/h   0.19 μSv/h   0.16 μSv/h

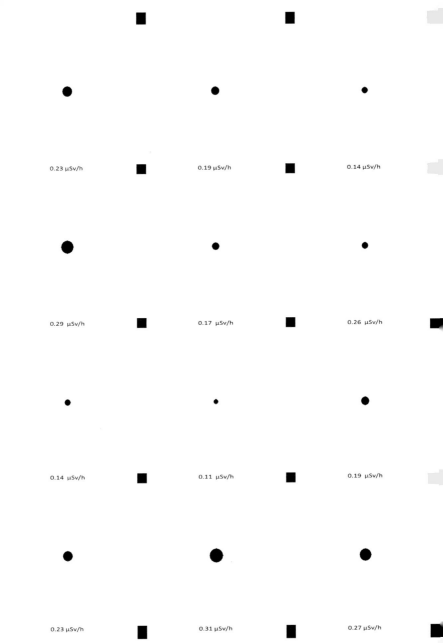

0.23 μSv/h

0.19 μSv/h

0.14 μSv/h

0.29 μSv/h

0.17 μSv/h

0.26 μSv/h

0.14 μSv/h

0.11 μSv/h

0.19 μSv/h

0.23 μSv/h

0.31 μSv/h

0.27 μSv/h

37.765714, 140.739956 0.19 μ Sv/h

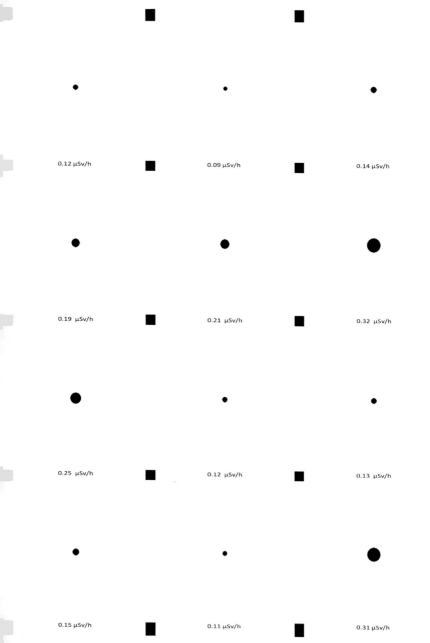

0.12 μSv/h   0.09 μSv/h   0.14 μSv/h

0.19 μSv/h   0.21 μSv/h   0.32 μSv/h

0.25 μSv/h   0.12 μSv/h   0.13 μSv/h

0.15 μSv/h   0.11 μSv/h   0.31 μSv/h

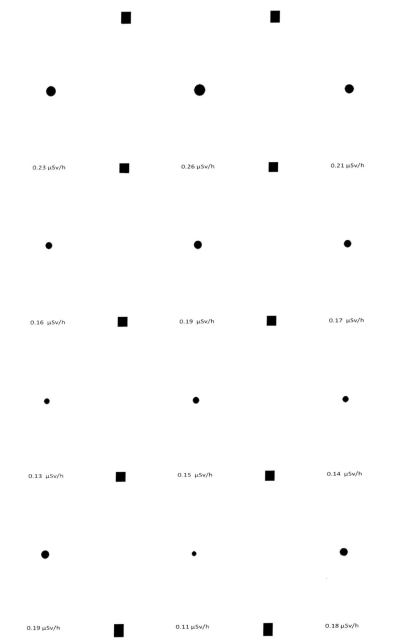

0.23 μSv/h 0.26 μSv/h 0.21 μSv/h

0.16 μSv/h 0.19 μSv/h 0.17 μSv/h

0.13 μSv/h 0.15 μSv/h 0.14 μSv/h

0.19 μSv/h 0.11 μSv/h 0.18 μSv/h

成長

多くの福島県産の農産物が汚名を着せられているにもかかわらず、日本酒産業は成長を続けている。福島の日本酒は毎年日本一に選ばれ、数々の賞を受賞している。原発事故後、売り上げは史上最高に達した。この日本酒信仰が、福島県の他の農産物の扉を開くと期待する声もある。三浦正一さんもその一人である。彼が経営する「ひろせ工房米工場」は、農業部門での就業機会を障碍者に提供している。 工場は2000年に設立されたが、震災後は風評被害で苦戦を強いられている。三浦さんは、一日も早く福島県産の安全性が問われなくなり、味だけで品質が判断されるようになってほしいと願っている。

「一度は放射能に汚染された飯舘村というこの美しい村で、私たちは多くの人々の助けを借りて、安全なコメを育て、日本酒(*1)を醸造しました。このような商品は、新しい福島の農業を世界に示すチャンスになるかもしれません。」

(*1) 純米酒「不死鳥の如く」。東京六大学野球で東大がチャンスを迎えたときに演奏される応援曲名に因んで名づけられた。

溝口勝
（東京大学農学生命科学研究科教授）

福島の日本酒の輸出

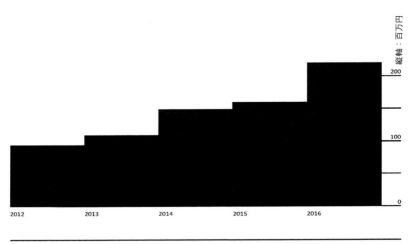

縦軸：百万円

200

100

0

2012　　　2013　　　2014　　　2015　　　2016

福島産コメ
2017 年放射能検査

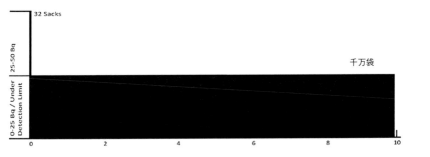

32 Sacks

25-50 Bq

0-25 Bq / Under Detection Limit

千万袋

0　　　　2　　　　4　　　　6　　　　8　　　　10

「福島県産のお米はすべて安全性を
チェックしています。他県では検査
を行っていません。ですから、福島
県産のお米が一番安全だと自信を
持っていえます。」

三浦正一
（福島県ひろせ工房米工場理事長）

37.850992, 140.605730　0.19 μSv/h

1]

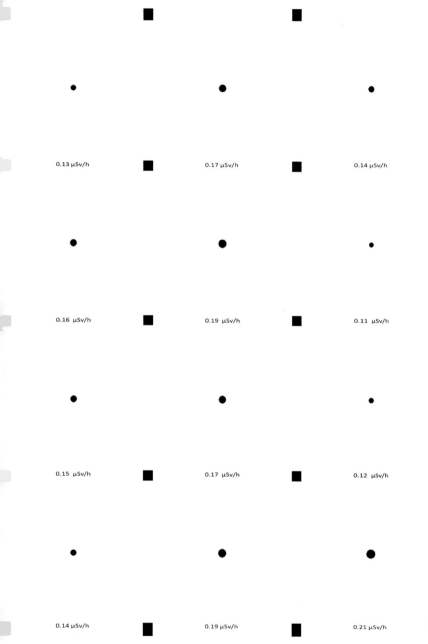

0.13 μSv/h

0.17 μSv/h

0.14 μSv/h

0.16 μSv/h

0.19 μSv/h

0.11 μSv/h

0.15 μSv/h

0.17 μSv/h

0.12 μSv/h

0.14 μSv/h

0.19 μSv/h

0.21 μSv/h

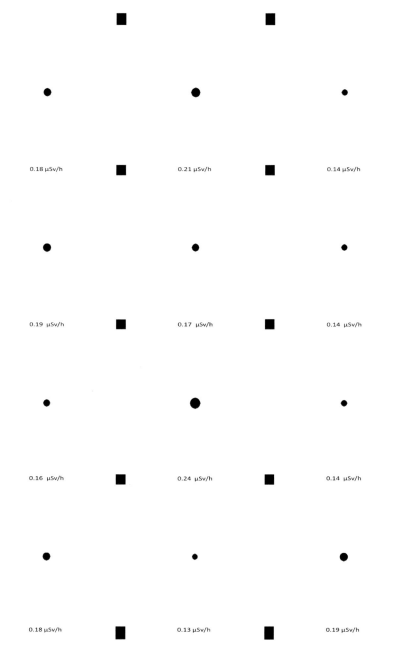

0.18 μSv/h   0.21 μSv/h   0.14 μSv/h

0.19 μSv/h   0.17 μSv/h   0.14 μSv/h

0.16 μSv/h   0.24 μSv/h   0.14 μSv/h

0.18 μSv/h   0.13 μSv/h   0.19 μSv/h

[2]

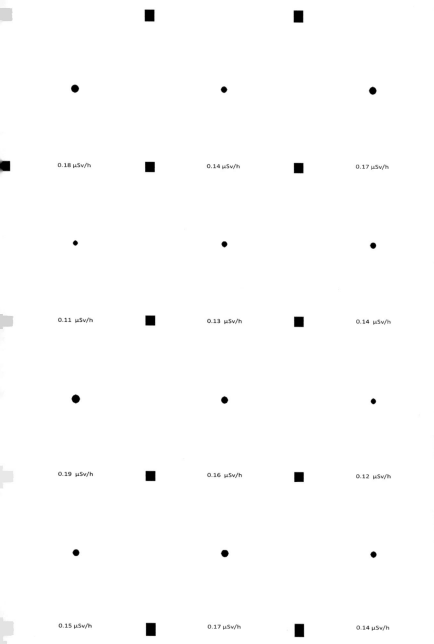

0.18 μSv/h   0.14 μSv/h   0.17 μSv/h

0.11 μSv/h   0.13 μSv/h   0.14 μSv/h

0.19 μSv/h   0.16 μSv/h   0.12 μSv/h

0.15 μSv/h   0.17 μSv/h   0.14 μSv/h

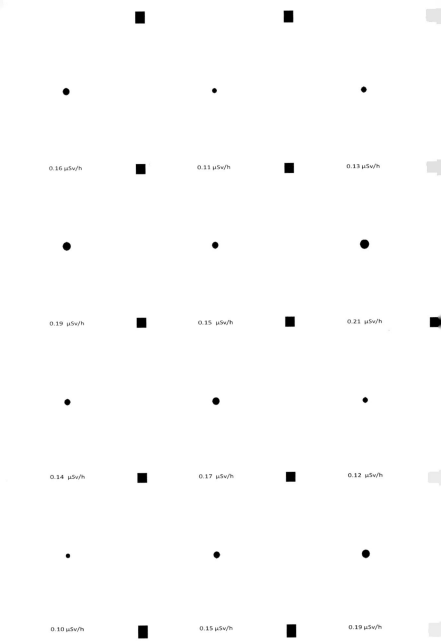

0.16 μSv/h

0.11 μSv/h

0.13 μSv/h

0.19 μSv/h

0.15 μSv/h

0.21 μSv/h

0.14 μSv/h

0.17 μSv/h

0.12 μSv/h

0.10 μSv/h

0.15 μSv/h

0.19 μSv/h

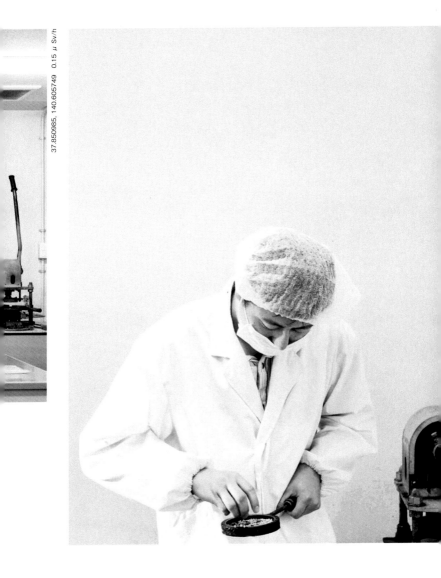

0.13 μSv/h   0.12 μSv/h   0.14 μSv/h

0.11 μSv/h   0.16 μSv/h   0.22 μSv/h

0.10 μSv/h   0.13 μSv/h   0.15 μSv/h

0.17 μSv/h   0.12 μSv/h   0.21 μSv/h

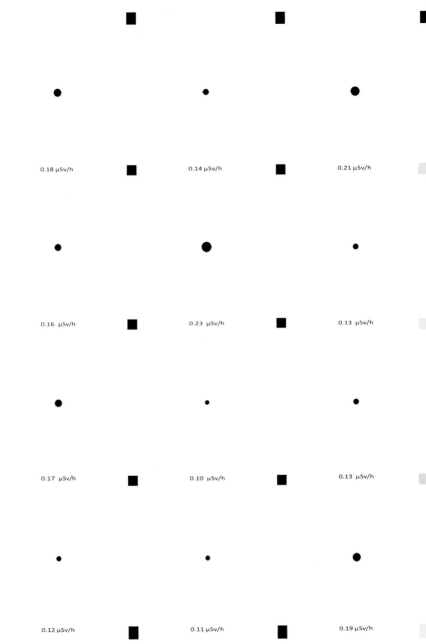

0.18 μSv/h

0.14 μSv/h

0.21 μSv/h

0.16 μSv/h

0.23 μSv/h

0.13 μSv/h

0.17 μSv/h

0.10 μSv/h

0.13 μSv/h

0.12 μSv/h

0.11 μSv/h

0.19 μSv/h

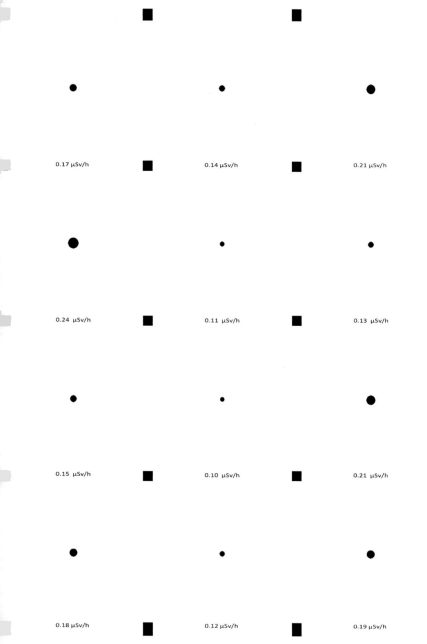

0.17 µSv/h   0.14 µSv/h   0.21 µSv/h

0.24 µSv/h   0.11 µSv/h   0.13 µSv/h

0.15 µSv/h   0.10 µSv/h   0.21 µSv/h

0.18 µSv/h   0.12 µSv/h   0.19 µSv/h

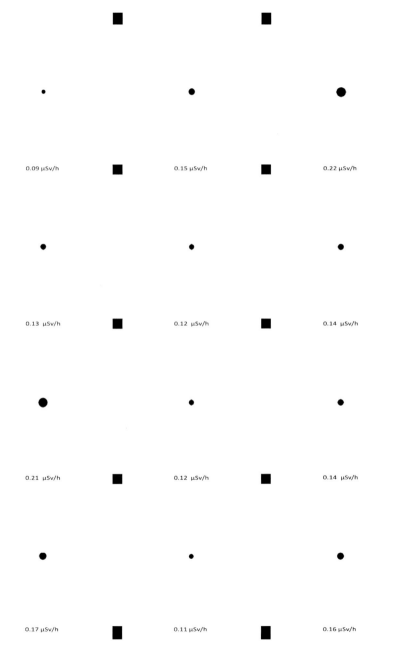

0.09 µSv/h

0.15 µSv/h

0.22 µSv/h

0.13 µSv/h

0.12 µSv/h

0.14 µSv/h

0.21 µSv/h

0.12 µSv/h

0.14 µSv/h

0.17 µSv/h

0.11 µSv/h

0.16 µSv/h

37.850898, 140.605653 0.12 μ Sv/h

11 おわりに

コリン・キャンベル博士
（METER グループ環境副社長）

福島を訪れるたびに変化がありました。温室を建てるために私たちは知識と道具を提供しました。最近、除染された農地に震災前から有名だった飯舘村の和牛が放牧されているのを見ました。この地域の食材を使った料理を提供する新しいレストラン (*1) もあります。

　しかし、一帯は急峻な地形で草木が生い茂り除染が困難です。また、一部の地域では浸食の可能性が高く、大雨の際に汚染された土砂が川に押し流される可能性もあります。メータ社の製品はこれらの土砂がどのように分布しているかを測定するのにも役立っています。

　科学者は時間を戻すことができません。しかし、私たちは力を合わせて専門知識を結集し、問題を解決し、その結果に対処し、将来の過ちを防ぐことができます。

　私たちを飯舘村に駆り立てる理由は、ボランティアによるすばらしい農地の再生を見たからです。村民も同じ感慨をもったに違いない、そう確信します。私たちの喜びはそうした光景を見ることなのです。飯舘村の将来がどうなるかはわかりませんが、村民の決意とボランティアの愛を考えると、希望を失う理由などないのです。

*1）避難先から戻ったうどん屋さんと 2018 年にオープンした道の駅の食堂のほかにぽつりぽつりと個人経営の食堂もできつつある。

12 参考

出典、写真

00

• Mizoguchi, Masaru. Interview.

• McCandless, David. "Radiation Dosage Chart". Information is Beautiful. February 19, 2019 [www.informationisbeautiful.net/visualizations/radiation-dosage-chart]

• Sievert. [www.sievert-system.org]

01

• "Access Washington Home". Access Washington Home. [www.access.wa.gov]

• Cohn, Scott. "This is America's Top State for Business in 2017". CNBC. July 14, 2017. [www.cnbc.com/2017/07/11/washington-is-americas-top-state-for-business-in-2017.html]

• "Farming on the edge: Sprawling Development Threatens America's Best Farmland: Washington". [www.farmland.org]

• Gaylord, David R., Alan J. Busacca, and Mark R. Sweeney. "The Palouse Loess and the Channeled Scabland: A Paired Ice-Age Geologic System". 2003.

• "Map of Oregon and Washington". On the World Map. [www.ontheworldmap.com/usa/state/oregon/map-of-oregon-and-washington.html]

• Nag, Oishimaya Sen. "The 10 Biggest Cities in Washington". World Atlas. January 29, 2019. [www.worldatlas.com/articles/the-10-biggest-cities-in-washington.html]

• Parker, Tim. "State Data". State Data. March 6, 2019. [data.ers.usda.gov/reports.aspx?ID=17854#P9aca4e3258ac447c9cb85db3562b58a9_3_39iT0]

• "quickFacts: Washington". U.S. Census Bureau. [www.census.gov/quickfacts/fact/table/wa/LND110210#LND110210]

• "The evergreen State". State Symbols USA. [www.statesymbolsusa.org/symbol/washington/state-nickname-state-quarter/evergreen-state]

• Tweedy, Doug. "Whitman County Profile". employment Security Department. October 2018. [www.esd.wa.gov/labormarketinfo/county-profiles/whitman]

• "visiting the Capitol". City of Olympia. [www.olympiawa.gov/community/visiting-the-capitol.aspx]

• "Washington Statistics". Farmland Information Center. [www.farmlandinfo.org/statistics/washington]

• Witmer, Stu. "Palouse Loess". earth Science Picture of the Day. August 30, 2010. [www.epod.usra.edu/blog/2010/08/palouse-loess.html]

02

• City of Pullman Washington. [www.pullman-wa.gov]

• MeTeR Group, Inc. USA.

• St. George, Donna. "National Origins: Washington-Idaho Border; America's Golden Land of Lentils". The New York Times.

September 24, 1997. [www.nytimes.com/1997/09/24/dining/national-origins-washington-idaho-border-america-s-golden-land-of-lentils.html]

• "Washington Hops". Washington Beer Commision. [www.washingtonbeer.com/washington-hops]

• "Washington State University". Washington State University. [www.wsu.edu]

03

• Cary, Annette. "Hanford Blamed for Most of $110 Billion Bump in Federal Cleanup Costs". February 06, 2019. [www.tri-cityherald.com/news/local/hanford/article225229730.html]

• einan, David R., and Alexandra K. Smith. "2019 Hanford Lifestyle Scope, Schedule and Cost Report". PDF. Richland: Department of energy. January 31, 2019.

• "employees in Nuclear Waste Site". Digital image. Getty Images.[www.gettyimages.de/detail/nachrichtenfoto/employee-steve-flores-stands-nearby-as-radiation-nachrichtenfoto/635237745]

• "Fast Flux Test Facility". Digital image. Getty Images. [www.gettyimages.de/detail/nachrichtenfoto/an-atomic-bomb-of-the-type-nicknamed-fat-man-that-was-nachrichtenfoto/632669212]

• "Google Maps". [www.google.com/maps/dir/Pullman], WA, USA/Hanford Site, Washington, USA.

• "Hanford engineering Plant". Digital image. Getty Images. [www.gettyimages.com/detail/news-photo/one-of-the-areas-at-the-hanford-engineering-plant-near-news-photo/613507580?language=en-US]

• "Hanford Nuclear Reservation". Northwest Power and Conservation Council. [www.nwcouncil.org/reports/columbia-river-history/hanford]

• Lewis, Robert. "Hanford Site". encyclopædia Britannica. April 05, 2018. [www.britannica.com/topic/Hanford-engineer-Works]

• "Little Boy and Fat Man". Atomic Heritage Foundation. July 23, 2014. [www.atomicheritage.org/history/little-boy-and-fat-man]

• "N Reactor". Hanford Site. February 3, 2019. [www.hanford.gov/page.cfm/NReactor]

• "Plutonium Acquisitions". U.S. Department of energy Open Net [www.osti.gov/opennet/forms?formurl=document/pu50yrs/pu50yc.html]

• "US Nuclear WWII Nagasaki". Digital image. Getty Images. [www.gettyimages.de/detail/nachrichtenfoto/an-atomic-bomb-of-the-type-nicknamed-fat-man-that-was-nachrichtenfoto/632669212]

• Wellerstein, Alex. "The Price of the Manhattan Project". Restricted Data: The Nuclear Secrecy Blog. May 17, 2013. [www.blog.nuclearsecrecy.com/2013/05/17/the-price-of-the-manhattan-project]

04

• "Alpha Particles". ARPANSA. July 25, 2017. [www.arpansa.gov.au/understanding-radiation/what-is-radiation/ionising-radiation/alpha-particles]

• "Applications of Radioactivity" Applications of Radioactivity. [www.corporate.engie-electrabel.be/local-player/nuclear-3/50-questions-and-answers-about-nuclear-energy-and-our-nuclear-power-plants/applications-of-radioactivity]

• "Atomic Bomb". encyclopædia Britannica. November 10, 2017. [www.britannica.com/technology/atomic-bomb]

• "Atomic Bombing of Hiroshima". Manhattan Project: The Atomic Bombing of Hiroshima, August 6, 1945. [www.osti.gov/opennet/manhattan-project-history/events/1945/hiroshima.htm]

• "Atomic Timeline 1985-1960". [atomic.lindahall.org/timeline.html]

• "Becquerel (Bq)". United States Nuclear Regulatory Commission. [www.nrc.gov/reading-rm/basic-ref/glossary/becquerel-bq.html]

• Brünglinghaus, Marion. "Nuclear Power Plants, World-Wide". european Nuclear Society. [www.euronuclear.org/info/encyclopedia/n/nuclear-power-plant-world-wide.htm]

• "Can the Decay Half-life of a Radioactive Material be Changed?". Science questions with Surprising Answers.[www.wtamu.edu/~cbaird/sq/2015/04/27/can-the-decay-half-life-of-a-radioactive-material-be-changed]

• "Colors from Ionizing Radiation". California Institute of Technology. August 1, 2016. [www.minerals.gps.caltech.edu/COLOR_Causes/Radiate/index.html]

• "Could CT Scans Cause Cancer?". Mayo Clinic. March 06, 2018. [www.mayoclinic.org/tests-procedures/ct-scan/expert-answers/ct-scans/faq-20057860]

• Denny, Shawn, Mike Pizzuti, Chelene Neal, Kate Bessiere, and environmental Information Services. "Advisory Committee on Human Radiation experiments Final Report". [www.ehss.energy.gov/ohre/roadmap/achre/intro_9_2.html]

• "Discovery of Radioactivity". Chemistry LibreTexts. February 23, 2019. [www.chem.libretexts.org/Bookshelves/Physical_and_Theoretical_Chemistry_Textbook_Maps/Supplemental_Modules_(Physical_and_Theoretical_Chemistry)/Nuclear_Chemistry/Radioactivity/Discovery_of_Radioactivity]

• Drum, Kevin. "Why did World War II end?". Mother Jones. June 25, 2017. [www.motherjones.com/kevin-drum/2011/08/why-did-world-war-ii-end]

• "effects of Radiation of the Human Body". Sputnik International. March 15, 2011. [www.sputniknews.com/infographics/20110315163019417]

• "Food Irradiation". Better Health Channel. September 30, 2012. [www.betterhealth.vic.gov.au/health/HealthyLiving/food-irradiation]

• "Frédéric and Irène Joliot-Curie". encyclopædia Britannica. November 18, 2016. [www.britannica.com/biography/Frederic-and-Irene-Joliot-Curie]

• "Greater-than-Class C Low-Level Radioactive Waste (GTCC LLW)". energy. [www.energy.gov/em/waste-management/waste-and-materials-disposition-information/greater-class-c-low-level]

• "Half-life". encyclopædia Britannica. May 22, 2018. [www.britannica.com/science/half-life-radioactivity]

• Hainke, Thomas. "Convert Millisievert to Microsievert". Convert Millisievert to Microsievert (equivalent Dose). [www.convert-measurement-units.com/convert Millisievert to Microsievert.php]

• Helmenstine, Todd. "Which elements are Radioactive?". ThoughtCo. January 27, 2019. [www.thoughtco.com/list-of-radioactive-elements-608644]

• Kelly, Martin. "The Manhattan Project Timeline". ThoughtCo. February 03, 2019. [www.thoughtco.com/the-manhattan-project-timeline-4051979]

• "Ionizing Radiation". World Health Organization. January 18, 2017. [www.who.int/ionizing_radiation/about/what_is_ir/en]

• Leach, Mark R. "The Internet Database of Periodic Tables". Periodic Table Database | Chemogenesis. [www.meta-synthesis.com/webbook/35_pt/pt_database.php?PT_id=130]

• "List of Radioactive Isotopes by Half-life". Wikipedia. [www.en.wikipedia.org/wiki/List_of_radioactive_isotopes_by_half-life]

• Long, Tony. "June 27, 1954: World's First Nuclear Power Plant Opens". Wired. June 03, 2017. [www.wired.com/2012/06/june-27-1954-worlds-first-nuclear-power-plant-opens]

• "Marie Curie". encyclopædia Britannica. April 05, 2019. [www.britannica.com/biography/Marie-Curie]

• "Marie Curie and Irène Curie on Radium". encyclopædia Britannica. June 02, 2014. [www.britannica.com/topic/Marie-Curie-and-Irene-Curie-on-radium-1983710]

• McCandless, David, and Matt Hancock. "Radiation Dosage Chart". Information is Beautiful. [www.informationisbeautiful.net/visualizations/radiation-dosage-chart]

• "Most Commonly Asked questions about Metal Detectors and x-ray Screening Machines". Washington DC vA Medical Center. [www.washingtondc.va.gov/Most_Commonly_Asked_questions_Metal_Detectors.asp]

• "Notation of Nuclear Reactions". Nuclear Power. October 29, 2014. [www.nuclear-power.net/notation-nuclear-reactions]

• "Periodic Table: Radioactive elements". ePA. 2017. [www.epa.gov/sites/production/files/2017-11/periodic-table-radioactive-elements.png]

• "Periodic Table". Royal Society of Chemistry. [www.rsc.org/

periodic-table]

• "Power Generation". Radiation Answers. [www.radiationanswers.org/radiation-sources-uses/industrial-uses/power-generation.html]

• "Radiation and Airport Security – Are You at Risk?". Radiation Safety Institute of Canada. [www.radiationsafety.ca/resources/factsheets/radiation-and-airport-security-are-you-at-risk]

• "Radiation Basics". United States Nuclear Regulatory Commission – Protecting People and the environment. [www.nrc.gov/about-nrc/radiation/health-effects/radiation-basics.html]

• "Radiation Therapy". National Cancer Institute. [www.cancer.gov/about-cancer/treatment/types/radiation-therapy]

• "Radioactive Decay". ePA. December 21, 2017. [www.epa.gov/radiation/radioactive-decay]

• "Radioactive Decay". Teach Nuclear. [www.teachnuclear.ca/all-things-nuclear/radiation/radioactive-decay]

• Rasmussen, John O., and ellis P. Steinberg. "Applications of Radioactivity". encyclopedia Britannica.

• "Radioactivity". Physical Science for Dummies. [calebcroomphysci4dummies.weebly.com/radioactivity.html]

• "Roentgen's Discovery of the x-ray". The British Library. May 19, 2006. [www.bl.uk/learning/cult/bodies/xray/roentgen.html]

• Smith, Sandy. "Obninsk Nuclear Power Plant". Stanford University. March 9, 2017. [www.large.stanford.edu/courses/2017/ph241/smith-s1]

• "Sievert". encyclopædia Britannica. March 23, 2011. [www.britannica.com/technology/sievert]

• Steinberg, ellis P., and John O. Rasmussen. "Radioactivity". encyclopædia Britannica. July 19, 2018. [www.britannica.com/science/radioactivity]

• Steinberg, ellis P. "Nuclear Fission". encyclopædia Britannica. December 21, 2018. [www.britannica.com/science/nuclear-fission]

• "The Discovery of Radioactivity". Nuclear Wall Chart. November 18, 2004. [www2.lbl.gov/abc/wallchart/chapters/03/4.html]

• "Understanding Radiation Risk from Imaging Tests". American Cancer Society. [www.cancer.org/treatment/understanding-your-diagnosis/tests/understanding-radiation-risk-from-imaging-tests.html]

• "Uranium: Its Uses and Hazards". Institute for energy and environmental Research. May 2012. [wwww.ieer.org/resource/factsheets/uranium-its-uses-and-hazards]

• verkindt, Didier. "Radioactivity is 100 Years Old". Radioactivity History for Radioactivity Century and 20 Years of LAPP. August 28, 2000. [www.lappweb.in2p3.fr/neutrinos/centenaire/rada.html]

• "What Is Uranium? How Does it Work?". World Nuclear Association. January 2017. [www.world-nuclear.org/information-library/nuclear-fuel-cycle/introduction/what-is-uranium-how-does-it-work.aspx]

• "Wilhelm Conrad Röntgen". Nobel Prize. [www.nobelprize.org/prizes/physics/1901/rontgen/biographical]

• "WW2 People's War". BBC. October 15, 2014. [www.bbc.co.uk/history/ww2peopleswar/timeline/factfiles/nonflash/a6652262.html]

05

• "Fukushima: Impact on Agriculture and Fisheries". Friends of the earth.

• "Fukushima". Japan Guide. [www.japan-guide.com/e/e7725.html]

• "Fukushima". Regions & Cities. [web-japan.org/region/pref/fukushima.html]

• "Fukushima". Statistics Japan: Prefecture Comparisons. [www.stats-japan.com/t/tdfk/fukushima]

• "Fukushima Sake Brewery Map". Fukushima Sake Story. September 30, 2018. [www.fukushima-sake.com]

• Hays, Jeffrey. "Rice Farming in Japan: History, Paddies, Planting, Harvesting and Mechanization". Facts and Details. [www.factsanddetails.com/japan/cat24/sub159/item939.html]

• "Japan: Fukushima". City Population. November 11, 2018. [www.citypopulation.de/Japan-Fukushima.html]

• Koarashi, Jun, Mariko Atarashi-Andoh, erina Takeuchi, and Syusaku Nishimura. "Topograpic Heterogeneity effect on the Accumulation of Fukushima-derived Radiocesium on Forest Floor Driven by Biologically Mediated Processes". October 31, 2014. [www.ncbi.nlm.nih.gov/pmc/articles/PMC4215300]

• Sekizawa, Ryo, Kazuhito Ichii, and Masayuki Kondo. "Satellite-Based Detection of evacuation-Induced Land Cover Changes Following the Fukushima Daiichi Nuclear Disaster". Remote Sensing Letters 6(11) (September 2015), 824-33. [www.researchgate.net/publication/281568822_Satellite-based_detection_of_evacuation-induced_land_cover_changes_following_the_Fukushima_Daiichi_nuclear_disaster]

• "Transition of evacuation Designated Zones". Fukushima Revitalisation Station. March 4, 2019. [www.pref.fukushima.lg.jp/site/portal-english/en03-08.html]

• Yamada, Takahiro, Puangkaew Lurhathaiopath, and Toshiyuki Monma. "Characteristics of the Agricultural and Forestry Industries in the Soma Area and Damage Sustained as a Result of the Great east Japan earthquake". In Agriculture and Forestry Reconstruction after the Great east Japan earthquake, 43-59.

• Yokokawa, Hanae, and Masaru Mizoguchi. "Collaboration Structure for the Resurrection of Iitate village, Fukushima: A Case Study of a Nonprofitable Organization". In Agricultural Implications of the Fukushima Nuclear Accident, 205-15.

06

• "After 3 Years of Taint-free Rice, Fukushima Mulls Review of Checks: The Asahi Shimbun". The Asahi Shimbun. February 16, 2018. [www.asahi.com/ajw/articles/AJ201802160053.html]

• "Akiu Taue Odori (Rice Planting Dance)". Cultural Property in Miyagi. [www.thm.pref.miyagi.jp/culturalproperty/en/cultural/akiu_taueodori.html]

• Basho, Matsuo. "Rice Planting Song".

• Cartwright, Mark. "Inari". Ancient History encyclopedia. May 23, 2017. [www.ancient.eu/Inari]

• ebikeme, Charles. "Water World". Nature News. July 5, 2013. [www.nature.com/scitable/blog/eyes-on-environment/water_world]

• "Farmers in Fukushima Count the Cost". Financial Times. January 4, 2012. [www.ft.com/content/7dff5d8e-220f-11e1-a19f-00144feabdc0]

• Hays, Jeffrey. "Rice Farming in Japan: History, Paddies, Planting, Harvesting and Mechanization". Facts and Details. [www.factsanddetails.com/japan/cat24/sub159/item939.html]

• "Fukushima Sake Brewery Map". Fukushima Sake Story. September 30, 2018. [www.fukushima-sake.com]

• "Japan: Fukushima". Rice is Life. 2004. [www.fao.org/rice2004/en/p8.htm]

• Kanno, Numeo. Interview.

• "Number of Shrines in Japan, 2013". How Much is it in Tokyo? March 13, 2015. [www.nbakki.hatenablog.com/entry/Shrine_numbers_in_Japan]

• Obe, Mitsuru. "TPP Deal expected to Shake up Japan's Agriculture Sector". The Wall Street Journal. October 06, 2015. [www.blogs.wsj.com/japanrealtime/2015/10/06/tpp-deal-expected-to-shake-up-japans-agriculture-sector]

• "The JA Group". Zen-Noh. [www.zennoh.or.jp/english/cooperatives/jagroup.html]

• Yamada, Takahiro, Puangkaew Lurhathaiopath, and Toshiyuki Monma. "Characteristics of the Agricultural and Forestry Industries in the Soma Area and Damage Sustained as a Result of the Great east Japan earthquake". In Agriculture and Forestry Reconstruction After the Great east Japan earthquake, 43-59.

07

• Anzai, Kazunori, Nobuhiko Ban, Toshihiko Ozawa, and Shinji Tokonami. "Fukushima Daiichi Nuclear Power Plant Accident: Facts, environmental Contamination, Possible Biological effects, and Countermeasures". Journal of Clinical Biochemistry and Nutrition, December 29, 2011,

2-8. January 2012. [www.ncbi.nlm.nih.gov/pmc/articles/PMC3246178]

• "Distance from Tokyo to Fukushima". Distance Between Cities. [www.distancefromto.net/distance-from-tokyo-to-fukushima]

• "Fukushima". Regions & Cities. [www.web-japan.org/region/pref/fukushima.html]

• "Fukushima Daiichi Accident". World Nuclear Association. October 2018. [www.world-nuclear.org/information-library/safety-and-security/safety-of-plants/fukushima-accident.aspx]

• "Fukushima Nuclear Accident Update Log". IAeA. April 04, 2011. [www.iaea.org/newscenter/news/fukushima-nuclear-accident-update-log-5]

• "Fukushima Nuclear Crisis Time-line". Amsterdam: Greenpeace. February 2012.

• "Fukushima Nuclear Power Plant". Chernobyl Place. March 22, 2018. [www.chernobylplace.com/fukushima-nuclear-plant]

• Fukushima Radioactivity Spread Map. Digital image. Pinimig. [www.i.pinimg.com/originals/1d/a6/d5/1da6d5a93518f0a0cf331a7f7f061d89.png]

• "Japanese Nuclear Workers enter Fukushima Reactor". The Guardian. May 05, 2011. [www.theguardian.com/world/2011/may/05/fukushima-nuclear-workers-enter-reactor]

• Jolly, David. "Fukushima's Contamination Produces Some Surprises at Sea". The New York Times. September 28, 2011. [www.green.blogs.nytimes.com/2011/09/28/fukushimas-contamination-produces-some-surprises-at-sea]

• Kanno, Keichi. Interview.

• Kanno, Numeo. Interview.

• Kazama, Motoki, and Toshihiro Noda. "Damage Statistics (Summary of the 2011 off the Pacific Coast of Tohoku earthquake Damage)". Soils and Foundations 52, no. 5: 780-92. [www.sciencedirect.com/science/article/pii/S0038080612000947]

• Mizoguchi, Masaru. Interview.

• Okubo, Kenichi, Masaru Mizoguchi, and Colin Campbell. The Rebirth of Fukushima. March 11, 2015. [www.youtube.com/watch?v=nwOrNdU_cml]

• "Plutonium". World Nuclear Association. December 2018. [www.world-nuclear.org/information-library/nuclear-fuel-cycle/fuel-recycling/plutonium.aspx]

• "Radioactive Cesium-137 Released from Fukushima 1.5 Times Tepco estimate: Study". The Japan Times. May 10, 2014. [www.japantimes.co.jp/news/2014/05/10/national/radioactive-cesium-137-released-from-fukushima-1-5-times-tepco-estimate-study/#.xL8Ddi-B3Oq]

• Sanderson, D.C.W., A.J. Cresswell, B. Seitz, K. Yamaguchi, and M. Sasaki. "Results of Airborne Monitoring by MexT and DOe (Readings of Air Dose Monitoring Inside 80 Km Zone of Fukushima Daiichi NPP)". Digital image. Research Gate. 2011. [www.researchgate.net/

figure/Dose-rates-for-the-area-within-80km-of-the-Fukushima-Daiichi-NPP-generated-from_fig2_259310727]

• Sangiorgi, Marco. "Short Overview of 11 March 2011 Accidents and Considerations". Bologna: eNeA, April 11, 2011.

• Schneider, Stephanie, Clemens Walther, Stefan Bister, viktoria Schauer, Marcus Christl, Hans-Arno Synal, Katsumi Shozugawa, and Georg Steinhauser. "Plutonium Release from Fukushima Daiichi Fosters the Need for More Detailed Investigations". Nature. Nature. October 18, 2013. [www.nature.com/articles/srep02988]

• Tabuchi, Hiroko, and Ken Belson. "Japan Releases Low-Level Radioactive Water Into Ocean". The New York Times.

April 04, 2011. [www.nytimes.com/2011/04/05/world/asia/05japan.html]

• "Timeline: A Nuclear Crisis Unfolds in Japan". NPR. March 31, 2011. [www.npr.org/2011/04/04/134798724/timeline-a-nuclear-crisis-unfolds-in-japan?t=1556982265823]

• "Timeline of the Fukushima I Nuclear Accidents". [www.miraikan.jst.go.jp/sp/case311e/docs/Timeline_Fukushima_e.pdf]

• Wooden, Geoff. "Radioactivity of Some Natural and Other Materials". Digital image. NoBS News Tokyo. March 23, 2011. [www.nobsnewstokyo.wordpress.com/2011/03/]

• Yokokawa, Hanae, and Masaru Mizoguchi. "Collaboration Structure for the Resurrection of Iitate village, Fukushima: A Case Study of a Nonprofitable Organization". In Agricultural Implications of the Fukushima Nuclear Accident, 205-15.

08

• Bernie, Shaun, and Kazue Suzuki. "On the Frontline of the Fukushima Nuclear Accident: Workers and Children". Germany and Japan: Greenpeace, March 2019.

• "Boeing 767-300F Designed to Deliver". Seattle: Boeing Airplane Programs Communication.

• "Compensation Awarded over 102-year-old's Suicide amid Fukushima Crisis". The Japan Times. February 20, 2018. [www.japantimes.co.jp/news/2018/02/20/national/crime-legal/compensation-awarded-102-year-olds-suicide-amid-fukushima-crisis/#.xM2u2pMzZqJ]

• Denyer, Simon. "eight Years After Fukushima's Meltdown, the Land is Recovering, but Public Trust is not". The Washington Post. February 20, 2019. [www.washingtonpost.com/world/asia_pacific/eight-years- after-fukushimas-meltdown-the- land-is-recovering-but-public-trust-has-not/2019/02/19/0bb29756-255d-11e9-b5b4-1d18dfb7b084_story.html?utm_term=.27cded956bd8]

• "Fukushima Daiichi Accident". World Nuclear Association. October 2018. [www.world-nuclear.org/information-library/safety-and-security/safety-of-plants/fukushima-accident.aspx]

• "Fukushima operator told to compensate for suicide of 102-year-old ordered to evacuate". The Straits Times. February 20, 2018. [www.straitstimes.com/asia/east-asia/fukushima-operator-told-to-compensate-for-suicide-of-102-year-old-ordered-to-evacuate]

• Gibney, elizabeth. "Fukushima Data Show Rise and Fall in Food Radioactivity". Nature News. February 27, 2015.[www.nature.com/news/fukushima-data-show-rise-and-fall-in-food-radioactivity-1.17016]

• Hamilton, Bevan. "Fukushima 5 Years Later: 2011 Disaster by the Numbers". CBCnews. March 10, 2016. [www.cbc.ca/news/world/5-years-after-fukushima-by-the-numbers-1.3480914]

• Hirabayashi, Daisuke. "As Fears Linger, Fukushima Rice Rebounds Under Anonymity: The Asahi Shimbun". The Asahi Shimbun. March 20, 2019. [www.asahi.com/ajw/articles/photo/AS20190319001407.html]

• Kanno, Numeo. Interview.

• Kaufman, Noah. "7 Years After its Devastating Nuclear Disaster Fukushima is Making Japan's Best Sake". Supercall. July 20, 2018. [www.supercall.com/culture/fukushima-sake]

• Little, Jane Braxton. "Fukushima Residents Return Despite Radiation". Scientific American. January 16, 2019. [www.scientificamerican.com/article/fukushima-residents-return-despite-radiation]

• Livni, ephrat. "Radioactive Wild Boars in Sweden are eating Nuclear Mushrooms". quartz. October 11, 2017. [www.qz.com/1099248/radioactive-wild-boars-in-sweden-are-eating-nuclear-mushrooms]

• Merz, Stefan, Katsumi Shozugawa, and Georg Steinhauser. "Analysis of Japanese Radionuclide Monitoring Data of Food Before and After the Fukushima Nuclear Accident". environmental Science and Technology, January 26, 2015, 2875-885.

• Miura, Shoichi. Interview.

• Mizoguchi, Masaru. "Challenges of Agricultural Land Remediation and Renewal of Agriculture in Iitate village by a Collaboration Between Scholar and NPO".

• Obayashi, Yuka, and Kentaro Hamada. "Japan Nearly Doubles Fukushima Disaster-related Cost to $188 Billion". Reuters. December 09, 2016. [www.reuters.com/article/us-tepco-fukushima-costs/japan-nearly-doubles-fukushima-disaster-related-cost-to-188-billion-idUSKBN13Y047]

• O'Sullivan, Tom, and Mathyos Japan. "Will Japan Regain Leading Role in Global Nuclear energy Development?". Japan Forward. May 31, 2017. [www.japan-forward.com/will-japan-regain-leading-role-in-global-nuclear-energy-development]

• Mizoguchi, Masaru. Interview.

• Nakanishi, Tomoko M. "Agricultural Implications of the Fukushima Nuclear Accident". Journal of Radiation Research 57. August 16, 2016. [doi:10.1093/jrr/rrw042]

• "Over 70,000 Live in evacuation 7 Years After Fukushima Disaster". xinhua. March 11, 2018. [www.xinhuanet.com/english/2018-03/11/c_137032155.htm]

• "Radiation Levels in the Prefecture". Fukushima Revitalisation Station. [www.pref.fukushima.lg.jp/site/portal-english/en02-01.html]

• "Ship Sizes". Maritime Connector. [www.maritime-connector.com/wiki/ship-sizes]

• Silverstein, Ken. "Japan Circling Back to Nuclear Power After Fukushima Disaster". Forbes. September 08, 2017. [www.forbes.com/sites/kensilverstein/2017/09/08/japan-may-be-coming-full-circle-after-its-fukushima-nuclear-energy-disaster/#51ccb1e230e8]

• Taira, Wataru, Chiyo Nohara, Atsuki Hiyama, and Joji M. Otaki. "Fukushima's Biological Impacts: The Case of the Pale Grass Blue Butterfly". Journal of Heredity 105, no. 5 (September/October 2014): 710-22. August 13, 2014. [www.academic.oup.com/jhered/article/105/5/710/2961788]

• "Taiwan votes to Keep Ban on Foods from Fukushima Disaster Areas for 2 More Years". The Mainichi. November 26, 2018. [www.mainichi.jp/english/articles/20181126/p2a/00m/0na/023000c]

• Uesako, Daisuke. "The Current Situation of Off-Site Cleanup in Japan". The Society of Remediation of Radioactive Contamination in environment. July 20, 2017.

• "Update 2-Japan's 2013 LNG Imports Hit Record High on Nuclear Woes". Reuters. January 27, 2014. [www.reuters.com/article/energy-japan-mof/update-2-japans-2013-lng-imports-hit-record-high-on-nuclear-woes-idUSL3N0L103N20140127]

• Wada, Toshihiro, Tsuneo Fujita, Yoshiharu Nemoto, Shinya Shimamura, Takuji Mizuno, Tadahiro Sohtome, Kyoichi Kamiyama, Kaoru Narita, Masato Watanabe, Noboyuki Hatta, Yasuo Ogata, Takami Morita, and Satoshi Igarashi. "effects of the Nuclear Disaster on Marine Products in Fukushima: An Update After Five Years". Science Direct, November 2016, 312-24. November 2016. [www.sciencedirect.com/science/article/pii/S0265931x16302302]

• Worland, Justin. "This May be the Biggest Health Threat From Fukushima- and it's Still Ongoing". Time. March 11, 2016. [www.time.com/4256088/fukushima-mental-health]

• Yamada, Takahiro, Puangkaew Lurhathaiopath, and Toshiyuki Monma. "Characteristics of the Agricultural and Forestry Industries in the Soma Area and Damage Sustained as a Result of the Great east Japan earthquake". In Agriculture and Forestry Reconstruction After the Great east Japan earthquake, 43-59.

• Yamaguchi, Noriko, Ichiro Taniyama, Takeshi Kimura, Kunio Yoshioka, and Masanori Saito. "Contamination of Agricultural Products and Soils with Radiocesium Derived from the Accident at TePCO Fukushima Daiichi Nuclear Power Station: Monitoring, Case Studies, and Countermeasures". Soil Science and Plant Nutrition 62, no. 3 (2016): 303-14. June 28, 1016. [www.tandfonline.com/doi/full/10.1080/00380768.2016.1196119]

09

• "Fukushima Farmers Struggle". NHK WORLD. June 8, 2017. [www3.nhk.or.jp/nhkworld/en/news/editors/3/fukushimafarmersstruggle/index.html]

• "Iitate Fukushima". City Population. November 11, 2018. [www.citypopulation.de/php/japan-fukushima.php?cityid=07564]

• "Iitate village in Fukushima Divided Into 3 Zones". Japan Today. July 17, 2012. [www.japantoday.com/category/nationalIitate-village-in-fukushima-divided-into-3-zones]

• Kanno, Numeo. Interview.

• "Lower Price of Fukushima Rice Shifts Demand to Commercial Sector". Nippon. October 1, 2018. [www.nippon.com/en/features/h00290]

• McNeill, David, and Chie Matsumoto. "In Fukushima, a Land Where few Return". The Japan Times. May 13, 2017. [www.japantimes.co.jp/news/2017/05/13/national/social-issues/fukushima-land-return/#.xM22SZMzZqJ]

• Nakanishi, Tomoko M. "Agricultural Implications of the Fukushima Nuclear Accident". Journal of Radiation Research 57. August 16, 2016. [doi:10.1093/jrr/rrw042]

• Okubo, Kenichi, Masaru Mizoguchi, and Colin Campbell.

The Rebirth of Fukushima. March 11, 2015. [www.youtube.com/watch?v=nwOrNdU_cml]

• Osnos, evan. "The Fallout". The New Yorker. July 10, 2017. [www.newyorker.com/magazine/2011/10/17/the-fallout]

• "Provisional Report regarding Radioactive Contamination in Iitate village and Recommended Countermeasures". Friends of earth Japan, April 4, 2011.

• Reiher, Cornelia. "Food Safety and Consumer Trust in Post-Fukushima Japan". Japan Forum 29, no. 1, 53-76. October 28, 2016. [www.tandfonline.com/doi/abs/10.1080/09555803.2016.1227351]

• "Rural Population". World Bank Group. 2018. [www.data.worldbank.org/indicator/SP.RUR.TOTL.ZS]

• "Transition of evacuation Designated Zones". Fukushima Revitalisation Station. March 4, 2019. [www.pref.fukushima.lg.jp/site/portal-english/en03-08.html]

• Yokokawa, Hanae, and Masaru Mizoguchi. "Collaboration Structure for the Resurrection of Iitate village, Fukushima: A Case Study of a Nonprofitable Organization". In Agricultural Implications of the Fukushima Nuclear Accident, 205-215.

10

• "Cornell Controlled environment Agriculture". Cornell College of Agriculture and Life Sciences. [www.cea.cals.cornell.edu]

• "exports of Fukushima-Brand Alcohol Hit Record in Fiscal 2017". Japan Times. November 18, 2018. [www.japantimes.co.jp/news/2018/11/18/national/exports-fukushima-brand-alcohol-hit-record-fiscal-2017/#.xM2kz5MzZqJ]

• "Fukushima Farmers Struggle". NHK WORLD. June 8, 2017. [www3.nhk.or.jp/nhkworld/en/news/editors/3/fukushimafarmersstruggle/index.html]

• Gibney, elizabeth. "Fukushima Data Show Rise and Fall in Food Radioactivity". Nature News. February 27, 2015. [www.nature.com/news/fukushima-data-show-rise-and-fall-in-food-radioactivity-1.17016]

• Hidaka, Masahiro, and Yuko Takeo. "Fukushima Looks to Top-Tier Sake to Beat Stigma, Lift economy". Bloomberg. December 28, 2017. [www.bloomberg.com/news/articles/2017-12-28/fukushima-looks-to-top-tier-sake-to-beat-stigma-lift-economy]

• Hurst, Daniel. "Town Where Nobody's Home: Fukushima Communities Struggling to Survive". The Guardian. March 09, 2018. [www.theguardian.com/environment/2018/mar/09/fukushima-communities-struggling].

• Kanno, Keiichi. Interview.

• "Lower Price of Fukushima Rice Shifts Demand to Commercial Sector". Nippon. October 1, 2018. [www.nippon.com/en/features/h00290]

• "Mid-and-Long-Term Roadmap Towards the Decommissioning of TePCO's Fukushima Daiichi Nuclear Power Station Units 1-4". MeTI. September 12, 2018. [www.meti.go.jp/english/earthquake/nuclear/decommissioning/index.html]

• Miura, Shoichi. Interview.

• Mizoguchi, Masaru. "Challenges of Agricultural Land Remediation and Renewal of Agriculture in Iitate village by a Collaboration Between Scholar and NPO".

• Mizoguchi, Masaru. "Collaboration is Important". 2013.

• Mizoguchi, Masaru. Interview.

• Nakanishi, Tomoko M., and Keitaro Tanoi. Agricultural Implications of the Fukushima Nuclear Accident. [www.link.springer.com/book/10.1007/978-4-431-55828-6]

• Paulo, Derrick A. "New Cracks Seven Years on, as Fukushima Residents Urged to Return Home". CNA. March 06, 2018. [www.channelnewsasia.com/news/cnainsider/fukushima-daiichi-nuclear-radiation-residents-return-safety-9888552]

• "Resurrection of Fukushima". Fukushima Saisei. [www.fukushima-saisei.jp/archives/index_en.html]

• Yokokawa, Hanae, and Masaru Mizoguchi. "Collaboration Structure for the Resurrection of Iitate village, Fukushima: A Case Study of a Nonprofitable Organization". In "Agricultural Implications of the Fukushima Nuclear Accident". Pages 205-215.

09
P168-191

10
P192-263

編・訳者あとがき

　私が、福島県飯舘村に関わりを持つようになったのは、「いざというときに役に立たない科学技術への疑問」から始まっています。福島の原発事故は、科学技術のあり方が問われたとても大きな事件でした。SPEEDIによって放射性物質の漏れがシミュレーションでわかっていたのに、それが公開されないまま事態が動きました。それが科学技術信仰の失墜の始まりでした。

　農学者の横井時敬先生が、150年も昔に「農学栄えて農業滅ぶ」ということを言っています。先生は、また「土に立つ者は倒れず、土に活きるものは飢えず、土を護る者は滅びず」という言葉も残しています。この言葉には、今回の原発事故で被害を受けた人々の思いが凝縮されています。

　この本は、親友のコリン・キャンベル博士を飯舘村に連れて行ったことがきっかけで出版されました。キャンベル博士の指揮の下、2018年5月にアメリカとドイツ連合の制作チームが飯舘村を訪問し、さまざまな角度から取材を行い、日本人にはない独自の視点で表現することができました。原本（英語版）は除染した田んぼで

育てた酒米の稲わらで作った紙に印刷するというこだわりがあり、2019 年のカンヌ・ライオンズという世界広告祭の最終審査にもノミネートされました。そのおかげで私もカンヌのレッドカーペットを踏む機会を得ました。まさか一介の農学博士が生涯そんな経験をできるとは思ってもいませんでした。

　この本の最初に述べているように、誰もが科学的データを読めるわけではありません。何か違う方法、独自の方法で理解してもらう工夫が必要です。この本は科学者が現地にへばりついて取ったデータをまさに独自の方法で読者に伝えるひとつの事例といえます。この本の読者が現地の状況を正しく理解し、少しでも早く風評が良い方向に変わる日が訪れることを信じてやみません。

2020 年 8 月 15 日
コロナ禍で帰省を自粛している
東京都文京区の自宅にて
溝口勝
（東京大学大学院
農学生命科学研究科教授）

オリジナル本

[1]

[2]

[1] オリジナル本は、かつての学術書の
ように函入りです。

[2] 写真の裏側ページの上部が袋とじに
なっています。

カバーのかけ方

カバーはオリジナル本の函入りのイメージを生かして作りました。
裏表紙のカバーの内側を開き、破線で谷折りします（右図）
本の小口に沿って表紙の内側に折り込みます。（写真3枚を参照してください）

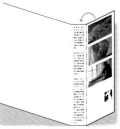

関連サイト

本の公式サイト
Made in Fukushima
www.madeinfukushima.com

本の作成について（英語）
Made in Fukushima
visualises the
decontamination of rice
fields in the wake of nuclear
disaster

福島産の稲わらで作った本
https://predge.jp/103561/

カンヌのレッドカーペット
を踏んできた
https://togetter.com/
li/1369523

メータ社のサイト（英語）
www.metergroup.com/
news/made-in-fukushima-
claims-two-design-awards/

behance のサイト（英語）
オリジナル本全ページ掲載
https://www.behance.
net/gallery/84123949/
Made-in-Fukushima-Book-
Infographics-Photography

13 奥付

寄稿者

忠犬ハチ公と上野英
三郎博士のイメージ
マーク

メイドインふくしま
2019

2021 年 3 月 11 日　初版　発行

翻訳
編著　溝口 勝（東京大学 大学院農学生命科学研究科
　　　　　　　　　農学国際専攻・国際情報農学研究室・教授）

翻訳　杉野 弘明（同・助教）
協力　近藤 紘嗣（同・修士 2 年）
　　　　高草木 和史（同・修士 2 年）
　　　　大野 浩輝（筑波大学附属駒場高校 3 年）

写真　ニック・フランク

デザイン　モビーディグ

本文　コリン・キャンベル
　　　　クエンティン・リクトブラウ

出版社　メータグループ会社. アメリカ
　　　　　2365 NE ホプキンス Ct
　　　　　プルマン、ワシントン州 99163、米国

日本版制作　東方通信社

ISBN 978-4-924508-35-4
定価はカバーに表示してあります。落丁本・乱丁本はお取替えいたします。

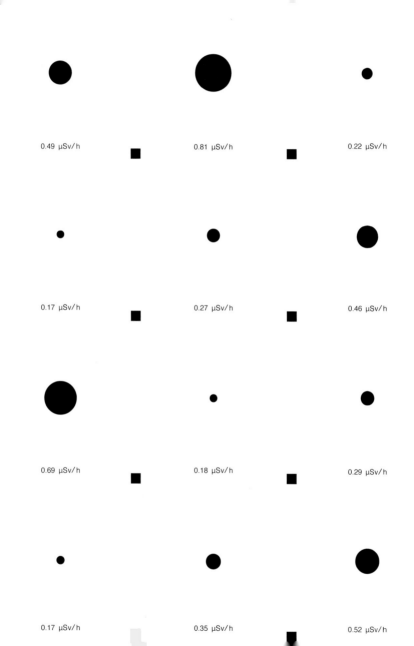

0.49 μSv/h   0.81 μSv/h   0.22 μSv/h

0.17 μSv/h   0.27 μSv/h   0.46 μSv/h

0.69 μSv/h   0.18 μSv/h   0.29 μSv/h

0.17 μSv/h   0.35 μSv/h   0.52 μSv/h